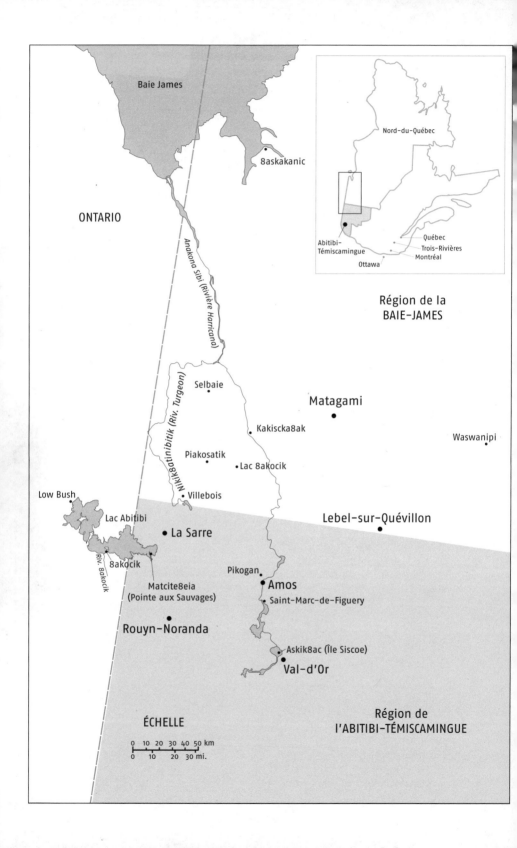

ON NOUS APPELAIT LES
# SAUVAGES

Infographie : Johanne Lemay
Correction : Chantale Landry

**Catalogage avant publication de Bibliothèque et Archives nationales du Québec et Bibliothèque et Archives Canada**

Rankin, Dominique, 1947-
   On nous appelait les Sauvages : souvenirs et espoirs d'un chef héréditaire algonquin

   Comprend des réf. bibliogr.

   ISBN 978-2-89044-816-2

   1. Rankin, Dominique, 1947- . 2. Algonquin (Indiens) - Québec (Province) - Mœurs et coutumes - 20e siècle. 3. Algonquin (Indiens) - Québec (Province) - Chefs - Biographies. I. Tardif, Marie-Josée. II. Titre.

E99.A349R36 2011    971.4'0049733    C2011-941755-3

DISTRIBUTEURS EXCLUSIFS :

Pour le Canada et les États-Unis :
**MESSAGERIES ADP inc***
2315, rue de la Province
Longueuil, Québec J4G 1G4
Tél. : 450 640-1237
Télécopieur : 450 674-6237
* filiale du Groupe Sogides inc.,
  filiale de Québecor Média inc.

Pour la France et les autres pays :
**INTERFORUM editis**
Immeuble Paryseine, 3, Allée de la Seine
94854 Ivry CEDEX
Tél. : 33 (0) 4 49 59 11 56/91
Télécopieur : 33 (0) 1 49 59 11 33
**Service commandes France Métropolitaine**
Tél. : 33 (0) 2 38 32 71 00
Télécopieur : 33 (0) 2 38 32 71 28
Internet : www.interforum.fr
**Service commandes Export – DOM-TOM**
Télécopieur : 33 (0) 2 38 32 78 86
Internet : www.interforum.fr
Courriel : cdes-export@interforum.fr

Pour la Suisse :
**INTERFORUM editis SUISSE**
Route André Piller 33A, 1762 Givisiez – Suisse
Tél. : 41 (0) 26 460 80 60
Télécopieur : 41 (0) 26 460 80 68
Internet : www.interforumsuisse.ch
Courriel : office@interforumsuisse.ch
**Distributeur : OLF S.A.**
ZI. 3, Corminboeuf
Route André Piller 33A, 1762 Givisiez – Suisse
**Commandes :**    Tél. : 41 (0) 26 467 53 33
              Télécopieur : 41 (0) 26 467 54 66
              Internet : www.olf.ch
              Courriel : information@olf.ch

Pour la Belgique et le Luxembourg :
**INTERFORUM BENELUX S.A.**
Fond Jean-Pâques, 6
B-1348 Louvain-La-Neuve
Tél. : 32 (0) 10 42 03 20
Télécopieur : 32 (0) 10 41 20 24
Internet : www.interforum.be
Courriel : info@interforum.be

10-15

Imprimé au Canada

Dépôt légal : 2011
Bibliothèque et Archives nationales du Québec
ISBN 978-2-89044-816-2

Gouvernement du Québec – Programme de crédit d'impôt pour l'édition de livres – Gestion SODEC – www.sodec.gouv.qc.ca

L'Éditeur bénéficie du soutien de la Société de développement des entreprises culturelles du Québec pour son programme d'édition.

 **Conseil des Arts**    **Canada Council**
       **du Canada**       **for the Arts**

Nous remercions le Conseil des Arts du Canada de l'aide accordée à notre programme de publication.

Nous reconnaissons l'aide financière du gouvernement du Canada par l'entremise du Fonds du livre du Canada pour nos activités d'édition.

# ON NOUS APPELAIT LES
# SAUVAGES

Souvenirs et espoirs d'un chef héréditaire algonquin

## DOMINIQUE RANKIN
## MARIE-JOSÉE TARDIF

Le jour

Une société de Québecor Média

*À mon fils Mak8a, Stéphane*
*À ma fille Sakapon, Geneviève*

# Préface

Plus que jamais, à 97 ans, je dois vivre la vie que le Créateur me donne au jour le jour! Je me prépare néanmoins à passer le relais aux représentants des générations qui me suivent, dont mon fils spirituel, T8aminik Rankin.

Au fil des années, T8aminik a su triompher des nombreux obstacles que les peuples autochtones ont dû affronter. L'un de ces obstacles, et non le moindre, fut pour eux d'avoir longtemps été perçus comme des « Sauvages ».

J'ai tenu T8aminik dans mes bras alors qu'il n'était qu'un tout petit enfant; nous avons partagé de nombreuses cérémonies en compagnie de son père, mon meilleur ami. Puis, ces vingt dernières années, je l'ai accompagné de près sur le chemin de la médecine traditionnelle. Parmi tous les enseignements que je lui ai transmis, la ceinture wampum décrivant la prophétie des Sept Feux fut l'un de mes thèmes préférés.

En 1970, je suis devenu le gardien de trois ceintures wampum, dont celle des Sept Feux. Ces objets sacrés furent jadis protégés par Pakina8atik, le père de mon arrière-grand-père. La prophétie des Sept Feux est au cœur de la tradition orale de mes ancêtres depuis plusieurs centaines d'années[1], mais elle est également bien connue chez d'autres nations amérindiennes, dont les Ojibwés.

---

1. La prophétie elle-même est peut-être plus ancienne, mais plusieurs pensent que la ceinture wampum des Sept Feux aurait au moins 600 ans.

L'histoire personnelle de T8aminik, comme celle de tous les Autochtones, est mystérieusement inscrite dans cette prophétie. Sa guérison est survenue à l'issue d'une longue période d'oppression systématique et non dissimulée (y compris le traumatisme des pensionnats indiens), ayant eu un impact direct sur lui, sur sa famille et sa communauté. Au fil des ans, T8aminik a partagé les grandes émotions de son chemin de guérison avec d'innombrables personnes, Autochtones et non-Autochtones, ici et à l'étranger.

J'ai aussi été témoin de l'énergie inépuisable qu'il a consacrée aux peuples autochtones d'Amérique du Nord, afin qu'ils soient reconnus dans le monde. Maîtrisant parfaitement les langues algonquine et crie, et se débrouillant à merveille en français et en anglais, son travail est de plus en plus axé sur les projets interculturels et interreligieux, de même que sur la défense de la culture et de la paix. Ses connaissances et son expérience confèrent une perspective unique à ces divers projets, chez nous comme ailleurs.

Ses cérémonies et ses pipes sacrées (dont l'une lui fut offerte par moi) ont guidé et soutenu des milliers de personnes. Elles nous ont inspirés et incités à respecter et à honorer notre Mère la Terre et toute la Création. Son travail a permis de célébrer la spiritualité et l'héritage de la culture autochtone, tout en garantissant l'inclusion de nos traditions dans les récits historiques des peuples anicinapek.

Je crois que plusieurs seront inspirés par sa vie, son exemple et ses enseignements. Je crois aussi que vous serez touchés par le message des Sept Feux, car il concerne tous les habitants de la terre, en cette période où les humains sont appelés à faire des choix cruciaux, tant dans leur vie personnelle que collective.

*Mik8etc* à T8aminik d'avoir gardé vivant l'esprit de nos ancêtres pour le bien des générations futures.

William Commanda
Aîné algonquin
Fondateur du Cercle de toutes les nations

---

N.B. : Grand-Père William Commanda aura rédigé cette préface un mois avant de nous quitter pour l'autre monde, à peine quelques jours avant l'impression de ce livre. Il est parti dans son sommeil, à l'aube du 3 août 2011. Il avait 97 ans. *Kitci mik8etc Comis !* Merci beaucoup, Grand-Père !

# Note de l'auteure

Pendant longtemps, j'ai cherché la forme d'écriture la plus appropriée à cet ouvrage. Si vous avez un jour la chance de rencontrer T8aminik, le héros de ce livre, vous constaterez que le français n'est pas sa langue maternelle. Cela dit, T8aminik parle couramment sept langues et dialectes : l'algonquin (dialecte mami8inni), le cri, l'ojibwé, l'attikamek, l'innu, le français et l'anglais. Ces langues sont énumérées ici dans l'ordre décroissant de maîtrise. Conséquemment, lorsque T8aminik veut parler français, par exemple, il doit d'abord traduire sa pensée qui s'élabore en algonquin. De plus, comme T8aminik a appris le français au Québec, il distingue difficilement le français international des expressions purement québécoises. Conjugué à son savoureux sens de l'humour et à ses talents de conteur, le résultat de cet amalgame confère à son langage parlé une saveur et une couleur incomparables !

Or, si j'avais opté pour un style d'écriture reproduisant fidèlement le jargon de T8aminik, ce livre aurait été presque illisible. J'ai donc décidé de rédiger ce texte en laissant couler les mots dans le style littéraire, tels qu'ils émergeraient dans ma langue maternelle, tout en m'efforçant de rester au plus près du message de T8aminik. Puisque j'ai la chance d'étudier avec lui la médecine traditionnelle et le dialecte des Mami8innis, j'espère humblement compter parmi ceux qui arriveront à traduire ce que les peuples amérindiens essaient d'expliquer depuis des siècles à leurs frères et sœurs non autochtones.

Cela dit, ce livre s'adresse autant aux peuples des Premières Nations qu'aux non-Autochtones. À travers ces pages, T8aminik et moi souhaitons partager la vision amérindienne de l'histoire du Canada, et, surtout, livrer un message d'espoir à l'intention de ceux qui souffrent de leur passé, tant sur le plan individuel que collectif, et ce, peu importe leurs origines.

Le témoignage que vous lirez est tout ce qu'il y a de plus véridique. Seuls quelques noms ont été occultés ou modifiés afin de protéger l'identité des personnes concernées. T8aminik et moi avons d'abord choisi de suivre la trame proposée par la prophétie des Sept Feux. Tous les matins au lever du soleil, nous nous installions devant une fenêtre donnant sur notre magnifique forêt laurentienne. En sirotant avec lui un bon café, je le questionnais sur les thèmes que je me préparais à aborder durant la journée. Le soir venu, je lui lisais mes nouvelles pages à haute voix (la lecture et l'écriture n'étant pas son fort). T8aminik corrigeait alors les imprécisions et les fautes d'orthographe en mami8inni, puis il enrichissait le texte de nouvelles idées, s'il en recevait l'inspiration. Finalement, si cet ouvrage contient un vocabulaire plus élaboré que celui que T8aminik utiliserait en français, les idées évoquées correspondent bien à ses propos, de même qu'à ma compréhension des enseignements légués par nos ancêtres autochtones.

Comme de nombreux Québécois de souche, mes origines sont métissées. Certains de mes ancêtres français ont épousé des Algonquines et des Micmacs. Je suis fière de mentionner que l'une de mes aïeules acadiennes avait osé épouser un Autochtone au XVIIe siècle, ce qui était extrêmement rare pour une femme de son époque. Normalement, les mariages mixtes avaient lieu entre des Européens et des Amérindiennes. En Nouvelle-France, ces unions se fondaient sur deux objectifs alors perçus comme de nobles causes : la conversion des Indiens au catholicisme et l'accroissement de la population au sein de la colonie. Cependant, avec l'avènement de l'ère victorienne, marier un « Sauvage » ou une « Sauvagesse » devint graduellement un sujet tabou dans la société québécoise. Nos ancêtres furent donc très nombreux à dissimuler leurs origines amérindiennes, voire à les renier. Aujourd'hui, notre génération rompt le silence et rouvre lentement ce coffre aux trésors.

Peut-être grâce à mon sang mariant le rouge et le blanc, j'aime profondément établir des ponts entre les humains. C'est ce qui me comble de satisfaction en écrivant ces lignes. Je sais néanmoins que le tout premier pont à construire devra réunir les contradictions, les paradoxes et les déchirements qui existent en chacun de nous.

Marie-Josée Tardif (Oteimin Kokom)
Mai 2011

# L'alphabet algonquin

À l'origine, la langue algonquine ne disposait pas de système d'écriture. Ce sont les missionnaires européens qui lui ont donné sa forme écrite, basée sur un alphabet syllabique. À cette époque, la lettre « w » ne faisait pas encore partie de l'alphabet français. Pour des mots comme wapiti ou wampum, au lieu du « w », on inscrivait un « o » surmonté d'un « u ». En imprimerie, le caractère se rapprochant le plus de cette nouvelle lettre était le « 8 », d'où l'utilisation désormais répandue du « 8 » dans certains alphabets autochtones. Parmi les règles de la prononciation algonquine, la lettre « t » peut parfois se prononcer comme un « d ». C'est pourquoi le prénom Dominique devient T8aminik en algonquin. Dans ce cas, le « 8 » sert simplement à étirer le son « a » qui suit.

Voici comment se prononcent les voyelles et les consonnes selon l'alphabet classique algonquin.

**Voyelles** : a, e, i, o
**Consonnes** : p, c, t, k, n, s, 8, m, tc

| Lettres | Prononciation(s) |
|---------|------------------|
| a | a |
| c | ch *ou* j |
| e | è |

| i | i |
|---|---|
| k | k *ou* g (*qui se prononce* gu) |
| m | m |
| Lettres | Prononciation(s) |
| n | n |
| o | o *ou* ou |
| p | p *ou* b |
| s | s *ou* z |
| t | t *ou* d |
| tc | tch |
| 8 | w |

# Prologue

M e voici perché depuis trois jours et trois nuits sur cette plate-forme de malheur où je dois jeûner. *Pitapan*, l'aube, est sur le point de percer l'horizon. J'ai à peine fermé l'œil de la nuit et, quand je sombrais enfin dans le sommeil, mes rêves se peuplaient d'assiettes de poulet, de sardines et de grands bols de *8apos-8apo*, la succulente soupe au lièvre que maman aimait tant nous préparer quand j'étais enfant. Ce sera bientôt le quatrième lever de soleil de cette épreuve où, pendant vingt et un jours, je dois rester sans manger ni boire, sur une estrade d'environ neuf mètres carrés, nichée au sommet d'un immense pin plus que centenaire.

Machinalement, je bourre ma pipe sacrée pour la courte cérémonie du matin. Je prie, mais mes pensées m'entraînent malgré moi vers mon mal-être : « Pourquoi tous ces rêves de nourriture ? Ce n'est pourtant pas la première fois que je jeûne… » En fait, cela fait au moins une semaine que je ne m'alimente plus. Juste avant l'épreuve de la plateforme, j'avais passé plusieurs jours à préparer mon corps et mon esprit à ce test final permettant mon entrée dans le cercle des anciens. Je poursuis mes lamentations intérieures : « C'est la soif qui me donne du fil à retordre. En plus, il faut supporter le froid, la pluie et le vent. J'en ai assez de tourner en rond sur mon perchoir. »

Voilà maintenant cinquante années que j'accepte mon chemin d'homme-médecine. Cinq décennies d'apprentissage, de renoncement, de cérémonies, d'initiations de toutes sortes d'un bout à l'autre du pays, mais, cette fois, je crois bien que mes maîtres auront raison de moi. Je l'avoue, je suis prêt à tout abandonner. Ce matin, je ne suis plus impressionné par ce lieu puissant, où je ne sais combien d'hommes-médecine ont jeûné avant moi. La beauté de la forêt s'est maintenant effacée de mon champ de vision. Je ne me sens plus protégé par les sachets de tabac colorés, ni par les plumes et les crânes d'animaux suspendus tout autour de moi, aux branches de cet arbre majestueux. Dans la solitude de ma retraite, loin de tout — même du sol! —, je cède à ce qui me hante véritablement: mon passé.

Affaibli par la privation de nourriture et l'inconfort physique, je n'arrive plus à relativiser les choses et à repousser mes souvenirs. Les images et les paroles d'un autre temps sont persistantes: les jeux et les rires de ma tendre enfance au cœur de la forêt boréale; la multitude d'enseignements reçus des aînés; les longues randonnées en canot avec ma famille, où des paysages grandioses défilaient devant nos yeux; le bonheur de côtoyer les animaux sauvages; les journées bien remplies à respirer l'air vivifiant de nos hivers; les nuits étoilées devant le tipi en été... Puis, subitement: mes parents impuissants, alors que les autorités nous jettent sans pitié, avec mes frères et sœurs, dans l'autobus affrété par le gouvernement; notre arrivée au «pensionnat des petits sauvages»; le choc des premiers instants dans cet univers insensé où certains politiciens et religieux bien-pensants espéraient faire de nous «de bons petits Blancs»... Avec acuité, je revois les visages, j'entends les paroles des missionnaires nous enfonçant inexorablement dans un abîme de folie collective où règne la loi du silence. Pendant des années, en toute impunité, ces hommes et ces femmes à la robe noire ont violé le moindre repli de notre être — notre culture, notre langue, nos croyances, notre cœur, notre âme, notre esprit et même notre corps.

En dépit de ces souvenirs envahissants, ma cérémonie de la pipe m'apaise et me recentre un peu. Je suis en train de ranger mes objets sacrés, quand retentit soudain la voix de Tom Eagle, au pied de mon arbre: «*Ki ki mino nipa na ?* As-tu bien dormi?», s'enquiert-il d'un ton narquois en grimpant l'échelle de bois menant à la plateforme. C'est ce vieil Ocip8e[2] au visage raviné et au regard d'aigle que j'ai choisi pour me guider à travers mon initiation. Il me rend visite chaque matin, question de vérifier mon état physique... et mental.

Tom prend place à mes côtés et me tend une pomme de pin, grosse comme une banane. «*Minik8en mackiki.* Bois la médecine», commande-t-il avec gentillesse. Comme je le fais de temps à autre

_____
2. Prononcer «Odjiboué».

depuis trois jours, je casse la pomme de pin en deux et je suce rapidement le fluide se cachant à l'intérieur. Cette sève hautement vitaminée constituera ma seule source de nourriture tout au long de l'épreuve. À vrai dire, j'en serai bientôt pleinement rassasié et n'y aurai presque plus recours jusqu'à la fin de mon séjour au sommet de l'arbre. Quoi qu'il en soit, pour le moment, l'arrivée de Tom Eagle me rassure et m'agresse à la fois.

« Tu es en colère, constate doucement mon guide.

— Oui, dis-je, cachant mal mon irritation. Je sais que tu as mangé ce matin. Je peux même flairer l'odeur de la nourriture qui se dégage de ton corps et de tes vêtements. Tu sens le *sasopok8ecikan*[3] à plein nez ! »

Après un bref silence, mon homme-médecine enchaîne en mesurant bien ses paroles :

« Je serai honnête avec toi. L'épreuve que tu traverses est loin d'être facile. Les prochains jours risquent d'être encore plus pénibles si tu refuses d'affronter ce qui te dérange vraiment. Tu sais très bien que ton véritable obstacle n'est ni la faim ni la soif, mais bien l'acceptation.

— Mais je ne compte plus les rituels auxquels je me suis adonné dans le but d'accepter mon passé ou d'accepter *notre* passé ! Je croyais avoir tourné la page.

— Quand on croit avoir tourné la page à jamais, une nouvelle couche de notre histoire est mûre pour la guérison. Cela vaut autant pour un individu que pour une famille ou une nation. Dès que notre esprit y est disposé, nous muons comme un serpent. Nous pouvons alors entreprendre une nouvelle étape de vie, encore plus libres qu'avant. Puis, un beau jour, le passé ou le futur n'ont absolument plus aucun pouvoir sur nous. Cela ouvre notre esprit à la beauté du temps présent. »

Tom Eagle s'installe derrière moi et applique diverses pressions du bout des doigts sur le sommet de ma tête. Il a deviné que je suis aux prises avec un vilain mal de crâne. Il poursuit ses enseignements :

« Ne perds jamais de vue la ceinture wampum des Sept Feux. Les visionnaires anicinapek[4] ont transmis ces enseignements en pensant aux enfants du futur qui, comme toi, auront connu les misères de la

---

3. Pain frit amérindien.
4. Prononcer « anishinâbek ». Entre eux, Algonquins et Ocip8es se désignent du nom d'Anicinapek. Au singulier, Anicinape se prononce « Anishinâbé ». Pour former le pluriel, on ajoute donc le son « k » à la fin du mot.

persécution et de l'injustice. Tout avait été prédit et les étapes à venir semblent vouloir se confirmer. Tiens bon, mon garçon. Tu dois d'abord réussir cette épreuve pour les générations futures. C'est à elles que tu dois penser. »

Les paroles de sagesse de mon guide vont me fournir matière à réflexion pour les prochains jours. Il a raison. Dois-je m'étonner de ce que les jeunes Autochtones comme moi ont dû subir derrière les portes closes des pensionnats indiens ? En vérité, nos peuples avaient été prévenus depuis fort longtemps des dangers découlant de la venue de la race à la peau blanche. Depuis plusieurs siècles, bien avant l'arrivée en Amérique des Christophe Colomb, Jean Cabot et Jacques Cartier, sept prophètes anicinapek avaient prédit que la rencontre entre nos deux civilisations serait déterminante et qu'elle pourrait conduire à notre perte. Nous savions aussi que, au bout d'interminables épreuves, une importante renaissance se profilerait à l'horizon, pouvant enfin nous réconcilier tous et nous permettre de former une seule et grande famille fondée sur le respect et le partage.

La nuit la plus noire des peuples autochtones du Canada a pris fin avec l'abolition des pensionnats indiens, à la fin du siècle dernier. Quand j'en fus libéré, nous nous trouvions au croisement du Cinquième Feu de la prophétie. Afin que les Sixième et Septième Feux puissent advenir, et pour le bien des générations futures, j'étais prêt à faire ma part et à guérir encore.

# Ickote kitcipison

## Les perles qui racontent notre histoire

J e devais avoir une trentaine d'années lorsque l'existence de la prophétie des Sept Feux me fut révélée. La ceinture wampum illus-
trant ces enseignements très anciens venait alors d'être confiée à
*Comis*[5] William Commanda, le meilleur ami de mon père, qui allait
aussi plus tard devenir mon principal guide spirituel.

Cette ceinture de perles fut fabriquée au xv$^e$ siècle, peut-être même
avant. Toutefois, la prophétie qu'elle raconte est beaucoup plus ancienne. Elle fut transmise de génération en génération, chez les Algonquins et les Ocip8es (une nation sœur dont nous partageons la langue
et le mode de vie), depuis une époque très lointaine précédant l'arrivée
des premiers Européens sur notre continent.

Jadis, la ceinture wampum des Sept Feux fut protégée par Paki-
na8atik, l'arrière-arrière-grand-père de William Commanda. Elle aurait dû lui être transmise par son grand-père et son père. Or, il fut un

---

5. « Grand-père spirituel. » Prononcer « Shoumiss ».

temps où les autorités religieuses du Québec considéraient cet objet et son message comme subversifs, si bien que la ceinture dut être cachée par des anciens vivant parfois très loin, et ce, pendant de nombreuses années. En 1970, la précieuse ceinture wampum rentra à Kitigan Sibi, dans la région de Maniwaki, et Grand-Père William en devint le gardien officiel. Une dizaine d'années plus tard, il sentit que le temps était venu de la dévoiler au grand jour et d'en partager les enseignements avec toutes les nations.

Au milieu des années 1990, William Commanda fit la rencontre d'Eddie Benton-Banai, un grand-père originaire de la réserve ocip8e de Lac Courtes Oreilles, au Wisconsin. De passage en Ontario, cet aîné proposait une conférence sur la prophétie des Sept Feux. *Comis* William s'y rendit et fut frappé par la ressemblance entre les enseignements de ses ancêtres et ceux de ce grand-père venant d'aussi loin que le Wisconsin. À la fin de la conférence, il présenta notre ceinture wampum au grand-père Eddie : « Est-ce la ceinture dont vous venez de parler ? » C'était la première fois que M. Benton-Banai entrait en contact avec cet objet sacré. Il en fut profondément touché. L'aîné lui a ensuite confié avoir reçu l'histoire des Sept Feux en vision. Le texte qu'il a écrit à partir de cette vision a tout de suite plu à Grand-Père William, car il touchait bien à l'essence de ce que nous avions reçu dans notre propre tradition orale. À partir de ce moment, il partagea souvent cette version écrite de la prophétie avec tous ceux qui souhaitaient recevoir les enseignements de la ceinture wampum. À mon tour, je suis heureux de vous la faire découvrir.

De nos jours, des gens de toutes les nations sont de plus en plus nombreux à découvrir la prophétie des Sept Feux. Toutefois, dans ma langue, nous l'appelons *Ickote kitcipison*. *Ickote*, c'est le feu. *Kitcipison* désigne un assemblage de grains de nacre qu'on relie selon une image choisie, comme autant de perles de sagesse formant un enseignement inestimable. Voilà ce qu'est une ceinture wampum : un message visuel pouvant souligner une alliance ou nous aider à mieux comprendre un aspect de la nature humaine et ses défis.

Dans notre tradition, l'écriture n'existe pas. Nous avons toujours privilégié l'enseignement par l'exemple, sachant que les actes marquent bien plus l'être humain que les paroles. Les messages contenus dans une ceinture wampum devaient donc non seulement être connus à fond, mais aussi, et surtout, compris et intégrés par son détenteur, responsable d'assurer leur pérennité. Parmi tous nos objets sacrés, le *kitcipison* est le plus important et le plus rare. Le porteur de ceinture wampum a été déclaré, par ses pairs, digne de protéger les enseignements les plus précieux de sa nation. Dès lors, vous savez que vous êtes en face d'un être de grande qualité. Mon guide spirituel, William Commanda, est porteur de quatre ceintures wampum. Pratiquement aucun homme-médecine contemporain des Amériques ne s'est vu confier tant de responsabilités spirituelles. C'est un honneur et un privilège immenses d'être l'un de ses plus proches élèves.

À l'époque où William nous a dévoilé la ceinture pour la première fois, mon père était encore vivant. C'est essentiellement lui qui me guidait sur le chemin de la médecine. En ce temps-là, *Comis* William conviait régulièrement les anciens issus de différentes nations à des rassemblements spirituels très privés. Cela se déroulait chez lui, en Outaouais, dans la réserve indienne de Kitigan Sibi.

Ce jour-là, j'accompagnais mon père en qualité d'apprenti. Nous étions une vingtaine d'hommes-médecine autour du feu sacré qui nous réchauffait le cœur. Tout près de nous s'étendait paisiblement le lac Bitobi, à peine ridé par la brise de septembre. Assis en cercle sur le lit de branches de sapin que nous venions de cueillir et sur lesquelles étaient posés nos objets sacrés, nous nous préparions à entendre une histoire fabuleuse. Après une courte cérémonie des pipes sacrées, William déroula la pièce de tissu protégeant la ceinture, puis souleva délicatement le précieux objet afin de l'offrir à notre vue. Comme les autres ceintures wampum, les grains de nacre constituant la trame de fond sont de teinte violette. Quant à l'image élaborée par les créateurs, elle est composée de perles blanches. Dans ce cas-ci, l'illustration est très simple : huit losanges alignés côte à côte, mais les deux du centre — les quatrième et cinquième losanges — s'entrecroisent pour ne former qu'un seul symbole.

L'assistance était calme et attentive, et puis *Comis* a entamé le récit des Sept Feux. Chaque feu est un enseignement légué par un ancien, et ces sept anciens avaient reçu la vision de ce que les peuples anicinapek allaient traverser au cours de leur histoire. Ainsi, chaque feu correspond à une époque du futur.

Les visionnaires anicinapek avaient décrit le temps béni où nos peuples menèrent une vie heureuse, en parfaite harmonie avec la nature. Puis ils avaient prédit l'arrivée de la race à la peau blanche sur nos terres et ils nous avaient prévenus des dangers que nous courrions, car ces Blancs pourraient cacher, derrière leur sourire, le visage de la mort. Mais ils ont aussi prophétisé que, après une longue période de souffrance, nos peuples pourraient connaître un vaste mouvement de renaissance et qu'une vague de réconciliation toucherait toutes les nations.

J'étais impressionné et intrigué à la fois. Comment ces anciens avaient-ils réussi à garder leurs enseignements vivants et à nous les faire parvenir intacts ? Et puis, surtout, comment avaient-ils réussi à prédire l'avenir avec tant de justesse ?

Grand-Père William ayant terminé son témoignage, le bâton de parole se met à circuler de main en main. À tour de rôle, les membres de notre petite assemblée sont appelés à s'exprimer. Un ancien dit :

« *Ickote kitcipison* parle d'un temps où nos peuples menaient une vie simple, mais remplie de bonheur. *Matci manto*, l'esprit malade, n'existait pas. Tout était pur. Mes parents et mes grands-parents m'ont raconté combien la chasse était aisée dans nos forêts giboyeuses. Nous n'avions pas à parcourir des milles et des milles pour trouver de quoi nous nourrir. Tous les hommes étaient gardiens de leur territoire. Ils savaient comment gérer la faune. La viande, le poisson, les arbres et les plantes étaient sains. Les humains vivaient longtemps. »

L'ancien ne prononce pas ces paroles sur le ton de la dénonciation ou des regrets amers. À peine un soupçon de mélancolie teinte les propos du vieil Algonquin. Le bâton change de main, puis un autre homme-médecine enchaîne d'une voix posée :

« En ce temps-là, nous n'étions pas des "chasseurs". Nous étions anoki8inni, les hommes fiers qui rapportent la nourriture. Nous allions chercher ce que le Créateur avait placé sur la Terre pour nous permettre de vivre. On ne tuait pas l'animal, on lui demandait sa vie, ce qui est bien différent. Personne n'aurait pu imaginer qu'on puisse un jour vendre un animal pour sa fourrure, et même aller jusqu'à éliminer toute une espèce sans réfléchir aux conséquences. Où est l'équilibre, dans cette vision de la vie ? »

Quand j'eus le bâton de parole entre les mains, j'exprimai ma joie de découvrir cette prophétie et d'entendre parler du feu de la sorte. À cette époque, ma guérison n'était pas encore accomplie. J'avais quitté le pensionnat indien depuis une vingtaine d'années, mais je vacillais encore entre les influences de la modernité et les racines plus stables de la philosophie anicinape. Je poursuivis :

« Mon père m'a enseigné à aimer le feu. Le feu nous nourrit. Le feu danse et chante. Quand on apprend à le regarder et à l'écouter, il nous inspire et nous parle. J'aime que la prophétie parle ainsi du feu. Les missionnaires, eux, m'ont appris à craindre le feu. Ils nous montraient toutes ces images de diables très laids, avec une barbichette et des cornes. Le diable tenait des humains au bout de sa fourche et les jetait dans un grand brasier, l'enfer, où hommes et femmes brûlaient pour l'éternité. Je ne sais toujours pas avec certitude s'il faut craindre le diable. »

Je tendis le bâton à l'aîné assis à ma gauche. Il réagit à mes propos en s'adressant à l'ensemble du groupe :

«Avant l'arrivée des robes noires dans nos territoires, nos peuples, ainsi que la nature, étaient en santé. Aujourd'hui, nous ne pouvons plus utiliser la farine des roseaux quenouilles comme autrefois pour préparer le pain, parce que les étangs et les lacs étouffent. Les petits fruits n'ont pas les vertus d'antan ; nous ne pouvons plus les utiliser pour teindre nos vêtements. Les femmes n'osent même plus laver leur visage avec l'eau des rivières... Vous ne savez pas encore qui est le diable ? Eh bien, je vais vous le dire. Le diable est celui qui a apporté la destruction avec ses savoirs et ses besoins de domination. Il fallait voir plus loin que sa robe noire, car trop souvent son cœur avait la même couleur. C'est cet humain au cœur souffrant qui a fait naître le mal entre nous. »

À mesure que j'assimilais ces enseignements, mon passé et mes origines recevaient un éclairage nouveau. Les livres de mon enfance, sur l'histoire du Canada, me revinrent à la mémoire. Ces images que nous montraient les missionnaires, au pensionnat, étaient pleines de violence. On y voyait des Indiens scalpant des explorateurs blancs, suspendant des jésuites au-dessus d'un grand feu ou les écorchant vifs. Un jour, j'avais dérobé un de ces manuels scolaires afin de provoquer mon père pendant les vacances d'été. «Tu m'as menti ! lui avais-je lancé avec mépris. Partout dans ce livre, on voit des chefs tuer des Blancs. Toi, tu es un chef. Pourquoi ne m'as-tu jamais parlé de tous ces crimes ? »

Après avoir tourné une à une les pages du livre, mon pauvre père était resté muet longtemps. Il ne savait pas lire, mais saisissait néanmoins la signification des nombreuses images de l'«histoire du Canada». Les enseignements du passé, tels que les nôtres les relataient, n'avaient rien à voir avec tout ce sang et ces conquêtes. Mon père n'y comprenait rien.

❖

Jusqu'à ce fameux jour où la ceinture wampum des Sept Feux me fut révélée, je n'étais pas certain que ce fût une bonne chose d'avoir été choisi pour succéder à mon père en tant que chef traditionnel et homme-médecine. J'avais certes commencé à faire la paix avec la dure épreuve du pensionnat, et j'accompagnais volontiers mon père dans les cérémonies et les rencontres avec les anciens, mais mon avenir m'apparaissait flou.

Quand nous évoquions le rôle d'homme ou de femme-médecine, notre peuple en était venu à employer le terme *mantoke* pour parler de celui ou celle qui travaille avec les mauvais esprits. Les gens comme mon père n'avaient jamais connu un tel concept. Leur vision n'était pas aussi troublée que celle des nouvelles générations, car ils avaient longtemps vécu parmi les anciens. Ils comprenaient bien la portée et la profondeur de notre médecine, qui ne cherche qu'à stimuler ou rétablir le cours naturel de la vie dans l'esprit et le corps, quand l'un ou l'autre est perturbé. Or, avec l'évangélisation, les croyances s'étaient considérablement transformées et plusieurs parmi les nôtres s'étaient graduellement mis à considérer *mantoke* comme un être bizarre, un « shaman », un sorcier.

C'est pour cette raison qu'à l'âge de 30 ans je n'osais pas encore parler de mon héritage hors du cercle des anciens. Je craignais que les autres Anicinapek me prennent pour un fou. J'avais peur du jugement.

Les enseignements de la ceinture wampum m'ont progressivement inculqué une nouvelle perspective. Ils m'ont ramené à mon histoire véritable, à ma culture et à ma croyance. La prophétie des Sept Feux décrivait une époque où nous vivions en symbiose avec la nature, époque qui fut suivie d'un mouvement de destruction de la Terre-Mère et des humains. Elle montrait comment les humains s'étaient enlisés dans la souffrance et comment ils pourraient tout réparer par eux-mêmes. Encore aujourd'hui, cette prophétie m'éclaire. Elle m'aide à garder courage et m'inspire quant au meilleur chemin à suivre. En cette ère nouvelle où les guerres et les catastrophes naturelles se multiplient, et où l'on commence en même temps à entendre la voix des Anicinapek partout sur la terre, je constate combien les Sept Feux peuvent éclairer les pas de toutes les nations.

Puisque nous entrons désormais dans une phase délicate et parce que le message d'*Ickote kitcipison* concerne tous les habitants de la terre, Grand-Père William a ressenti que ces enseignements devaient être transmis non seulement de vive voix, comme le veut la tradition, mais aussi par l'écriture. C'est pourquoi Grand-Père m'a encouragé à écrire ce livre que je vous offre grâce à l'aide précieuse de Marie-Josée Tardif, journaliste et apprentie femme-médecine, aussi connue sous le nom d'Oteimin Kokom.

# Premier Feu

## *Anicinape : l'humain en harmonie avec la nature*

Sept prophètes sont venus chez les Anicinapek. Ils sont venus quand le peuple vivait une vie bien remplie et paisible, sur la côte nord-est de l'Amérique du Nord. Ces prophètes ont laissé au peuple sept prophéties. Chacune de ces prophéties fut appelée un « feu », et chaque feu décrit une ère différente qui adviendra dans le futur. Voilà pourquoi les enseignements des sept prophètes sont nommés les Sept Feux.

Le premier prophète a dit au peuple :

> « Pendant le temps du Premier Feu, la nation anicinape s'élèvera et suivra la voie de la Coquille sacrée du *mitete8in*[6]. Le *mitete8in* leur servira de point de rassemblement et ses traditions seront la source de beaucoup d'énergie. Le *mekis*[7] sacré les conduira au lieu choisi pour les Anicinapek. Vous devrez chercher une île qui a la forme d'une tortue et qui est liée à la purification de la terre. Vous trouverez une telle île au début et à la fin de votre voyage. Il y aura sept lieux où vous vous

---

6. Le *mitete8in* est l'ensemble des connaissances transmises entre les hommes et les femmes-médecine anicinapek, de génération en génération. Ces méthodes de guérison ancestrales concernent autant le corps que l'esprit.
7. Le mot *mekis* signifie « coquillage ».

arrêterez en cours de route. Vous aurez trouvé l'endroit choisi quand vous atteindrez une terre où la nourriture pousse sur l'eau. Si vous y restez, vous serez détruits. »

Lorsqu'on me demande à quelle nation j'appartiens, je réponds «Je suis Anicinape», ce qui signifie tout simplement «être humain». Certains traduisent «Anicinape» par «homme vrai» ou par «humain vivant en harmonie avec la nature». Toutes ces traductions sont justes. Pour nous, la provenance géographique d'un être humain n'a pas beaucoup d'importance. Jadis, lorsque nous rencontrions les représentants d'une autre nation, nous disions le plus souvent que nous avions découvert «de nouveaux visages» venant de l'Est, du Sud, de l'Ouest ou du Nord.

Avec l'arrivée des premiers visages pâles sur le continent, de nouveaux concepts sont apparus. Peu à peu, on a commencé à désigner les gens de ma nation du nom d'«Algonquins». Je crois que cette appellation dérive de la langue 8endat[8], mais elle n'appartient certainement pas à notre vocabulaire. Nous avons tout de même fini par l'adopter de bon gré et l'utilisons souvent pour désigner la famille algonquienne, c'est-à-dire notre grande famille élargie, dont les membres partagent des dialectes apparentés, une histoire et un mode de vie similaires. La grande famille algonquienne compte actuellement neuf nations : Mami8inni, Ocip8e, Cri, Innu, Naskapi, Attikamek, Abénakis, Malécite et Micmac.

En ce qui nous concerne, lorsqu'il s'agit de distinguer notre nation des autres, nous avons toujours utilisé le terme Mami8inni. Ce nom nous plaît beaucoup, car il est très rigolo. Il se rapporte à notre goût pour la récolte des petits fruits que la Terre-Maman nous offre durant la douce saison : fraises, framboises, bleuets[9], etc. Or, pour cueillir ces fruits, il faut bien se pencher. Et qu'est-ce qui s'offre alors au regard du visiteur qui arrive sur les lieux où la communauté entière s'affaire

---

8. Prononcer «wendate». La nation amérindienne des Wendats, appartenant à la grande famille iroquoïenne, est aussi connue sous le nom de Hurons.

9. Au Québec, nous appelons «bleuets» ces petites baies délicieuses que les Européens appellent «myrtilles».

à récolter les précieuses baies ? Toute une famille d'arrière-trains — des petits, des gros, des charnus, des maigres, des jeunes, des vieux — se dressant paisiblement sous le soleil ! Voilà qui nous sommes : la tribu aux postérieurs fièrement dressés vers le ciel !

Quiconque débarquera chez nous découvrira que le sens de l'humour est l'un des traits de caractère de notre peuple. En fait, tous les peuples amérindiens sont dotés d'un humour remarquable. Nous adorons nous taquiner les uns les autres et nous excellons dans les traits d'esprit. Toutefois, jamais nous ne sommes sarcastiques ou destructeurs. La douceur et l'amour sous-tendent toujours nos blagues.

Le rire nous a sans aucun doute permis de survivre aux dures épreuves que nous avons endurées au cours des siècles derniers. Un individu et même toute une communauté peuvent se soigner par le rire. Je pense notamment à l'un de mes frères innus qui, dit-on, avait un jour raté son suicide. La cravate avec laquelle il avait essayé de se pendre s'était déchirée sous son poids. Dès lors, les membres de sa communauté l'ont surnommé « Cravate ». En le saluant de la sorte, ses frères et sœurs font un clin d'œil amical à la journée de désespoir où Cravate avait songé à quitter ce monde. Ainsi, tout le monde dédramatise la situation et, surtout, on lui rappelle par l'humour combien on est heureux qu'il soit encore en vie.

Les Innus, aussi connus sous le nom de Montagnais, se sont établis au nord-est du fleuve Saint-Laurent, tandis que le territoire où j'ai grandi se situe à peu près sur le même parallèle (le 50ᵉ), mais beaucoup plus à l'ouest. Ce territoire s'appelle Abitibi, ce qui signifie « là où deux cours d'eau se rencontrent ». Il y aurait aujourd'hui de 10 000 à 15 000 Algonquins regroupés en Abitibi et en Outaouais. À l'arrivée des premiers Européens, on estime que notre population s'élevait à plus de 30 000 individus[10]. Notre territoire était beaucoup plus vaste. Il s'étendait d'Ottawa jusqu'à Québec, le long du fleuve Saint-Laurent, que nous appelons dans ma langue Kitci Sipi, la grande rivière sacrée.

Quand j'étais petit, les anciens nous instruisaient des principales migrations de notre passé. Aujourd'hui, cela me fait chaud au cœur de pouvoir donner à mes frères et sœurs de toutes les origines notre

---

10. Par ailleurs, on estime que de 7 à 10 millions d'Autochtones vivaient en Amérique du Nord à l'époque de Jacques Cartier. Quatre siècles plus tard, ils n'étaient plus que 250 000 aux États-Unis et 100 000 au Canada. De nos jours, par contre, la tendance s'est inversée. Au dernier recensement, 1,2 million de Canadiens (sur 33 millions) se disaient Autochtones.

point de vue sur l'histoire. Même si le travail des historiens contemporains s'avère beaucoup plus neutre qu'autrefois, leurs récits continuent de refléter un point de vue influencé par leur éducation. Je suis ému de pouvoir enfin donner la parole à nos ancêtres, à travers leurs récits. Certains détails resteront peut-être vagues, d'autres seront particuliers à la nation anicinape à laquelle j'appartiens, mais je crois que les enseignements de mes ancêtres rejoindront tout de même ce que l'histoire moderne rapporte, dans les faits.

Grâce à la mémoire transmise par nos ancêtres, nous savons qu'il y a très longtemps, certains membres de notre nation côtoyaient les Abénakis aux environs des chutes de la Chaudière, sur la rive sud de Québec. Notre mode de vie, notre philosophie et notre langue étant très similaires à ceux des Abénakis, il nous était facile de vivre en harmonie avec eux. Puis sont arrivés les 8endats, une nation de commerçants amérindiens beaucoup plus sédentaire que nous, originaire du sud-ouest (Ontario). Selon nos anciens, une ceinture wampum a été fabriquée afin de conclure avec les 8endats un pacte d'amitié et de partage du territoire. Les 8endats s'installèrent ainsi entre Trois-Rivières et Québec. Leurs descendants vivent à proximité de la ville de Québec et ont toujours leur légendaire bosse des affaires.

Quant à nous, peuples nomades, nous avons continué de sillonner Kitci Sipi au rythme des saisons. À l'époque où les premiers Blancs commencèrent à explorer le continent nord-américain, arrivèrent d'autres Iroquois du sud (États-Unis). Ces Autochtones au caractère revendicateur appartenaient à la nation mohawk. Dans leur langue, ils se nomment Kanienkehaka, ce qui signifie «Peuple du silex» ou «Peuple de l'étincelle». Cette nation très fière valorisait l'art de la guerre, contrairement aux Algonquins pour qui les valeurs de paix, de partage et de dialogue étaient prioritaires. Désireux de s'installer sur le territoire où nous avions l'habitude de voyager, les Iroquois attaquèrent les gens de notre peuple, lesquels ne connaissaient pas les armes et ne savaient pas comment se défendre contre un tel ennemi. Essuyant de lourdes pertes, nos ancêtres choisirent de se retirer vers le nord et l'ouest. Un peu plus tard, il est dit que les Iroquois, désireux de conquérir davantage de territoires vers le nord, lancèrent des offensives contre nous. Cette fois, par contre, nous étions prêts. Les Algonquins avaient bien observé les méthodes guerrières des Iroquois. Mieux préparés et décidés à protéger les leurs, ils ripostèrent avec succès et stoppèrent le mouvement d'expansion des Iroquois. À la suite de ces affrontements, au gré des traités avec les Blancs et de l'imposition de nouvelles lois fédérales, les Mohawks s'établirent sur les berges de Kitci Sipi, près de Montréal, où l'on retrouve encore leurs descendants. Les Mohawks ont conservé le fort tempérament de leurs ancêtres, mais, de part et d'autre, nous avons graduellement appris à nous respecter malgré nos différences.

❖

Cela dit, une grande migration nous unit à tous nos frères autochtones. Le souvenir de cet incroyable parcours appartient à notre mémoire ancestrale très lointaine. Ainsi, nous savons qu'il y a fort longtemps, à une époque où la terre était recouverte de glaciers, des Anicinapek sont arrivés de très, très loin pour s'établir sur une île immense qu'ils appelèrent île de la Tortue. C'était ainsi qu'ils désignaient l'Amérique du Nord. Au cours de ma vie, j'ai eu l'occasion de côtoyer des scientifiques qui ont retracé les pas de nos ancêtres. Selon eux, les différentes nations amérindiennes sont originaires d'Asie. Il y a 30 000 à 40 000 ans, nos ancêtres lointains de Mongolie, de Chine, de Russie, etc., auraient lentement suivi les hordes de bisons vers le nord-est. Puis, grâce à un pont de glace sur le détroit de Béring, ils auraient contourné le cercle polaire arctique pour s'installer lentement sur notre continent. Voilà pourquoi nos visages ressemblent tant à ceux de nos frères asiatiques et pourquoi les Autochtones partagent une philosophie semblable, du pôle Nord jusqu'à la Terre de Feu. Nulle part ailleurs sur terre on ne retrouve des croyances spirituelles identiques sur un si vaste territoire.

Nos frères les Inuits (qu'on appelait aussi «Esquimaux») s'installèrent dans les terres du Nord. Ils apprirent à vivre dans la toundra et dans les grands froids. Nos frères du Sud apprirent pour la plupart à cultiver la terre. Certains apprivoisèrent les grandes chaleurs des forêts tropicales et des déserts. Nos frères de la côte ouest (qui seraient venus des îles du Pacifique, comme Hawaii et la Polynésie) conservèrent des liens étroits avec l'esprit de l'océan. Nos frères de l'Ouest central développèrent une relation particulière avec le cheval et l'immensité des vastes prairies. Tandis que nous, des forêts de l'Est, allions devenir un peuple de voyageurs grâce à l'extraordinaire réseau des lacs et rivières, et grâce à *tciman*, notre précieux canot d'écorce.

Pendant des millénaires, les gens de ma nation menèrent une existence paisible et heureuse, rythmée par les six saisons de l'année : *Pipon*, quand il y a gel, vent, neige et poudrerie ; *Sik8an*, quand la neige commence à fondre ; *Minokamin*, quand la terre n'est plus cachée par la neige ; *Nipin*, quand la nature est épanouie ; *Tak8akin*, quand les feuilles tombent ; et enfin *Pitcipipon*, quand la neige réapparaît et que les jours sont de plus en plus courts.

❖

En automne, sur notre terre, surviennent toujours quelques journées de redoux. Cette période d'environ une semaine est ce que vous appelez l'«été indien». Elle donnait le signal du départ vers nos territoires de chasse et de trappe. Ainsi, les familles profitaient du temps doux pour rempaqueter leur matériel, mettre les canots à l'eau et franchir les quelques centaines de kilomètres les séparant du lieu où elles allaient passer l'hiver, dispersées en petites unités d'une quinzaine de personnes.

Avant les grands bouleversements de mes huit ans, j'ai pu goûter au rythme de vie des nomades. Même si cela remonte maintenant à de nombreuses années, je conserve le souvenir très vif de ces moments où nos parents nous préparaient au grand départ : «Vous verrez, les enfants, les paysages sont magnifiques ! Là-bas, de nouveaux enseignements vous attendent ! » Leur enthousiasme était contagieux. Les préparatifs du voyage ne nous pesaient aucunement, tant nous étions ravis par cette nouvelle aventure. Mes sœurs aînées et ma mère cuisinaient des rations supplémentaires de *panik*[11] et s'occupaient des bagages. Mon père et mes grands frères hissaient certaines pièces d'équipement sur le *ticipitakan*, la plateforme de rangement. Ces divers objets — toiles, raquettes, filets de pêche, flotteurs en bois, etc. — nous attendraient jusqu'à notre retour, six mois plus tard.

Finalement, nous étions prêts à prendre place dans les canots. Selon les unités familiales, on pouvait voyager à bord de quinze à vingt embarcations. Les petits prenaient place à bord en compagnie de leurs parents. D'autres canots, transportant les enfants un peu plus vieux, étaient attachés derrière ceux des adultes, tandis que les frères et sœurs aînés étaient autonomes. Ils avançaient dans leurs propres canots, pas très loin devant. Cela leur conférait davantage de responsabilités, mais c'était aussi une fierté pour eux, car ils savaient qu'on pouvait désormais leur faire confiance.

---

11. Le très populaire pain amérindien. Prononcer «banik».

Je me rappelle qu'au moment du grand départ, nous relâchions les chiens afin qu'ils nous suivent. Il y a très longtemps, nos ancêtres ne connaissaient pas cet animal. Ce n'est qu'à l'arrivée des Européens que cet esprit a été introduit chez nous. Au fil du temps, nous les avons adoptés comme compagnons de chasse, mais aussi pour le transport avec les traîneaux. J'ai encore en mémoire ces images fabuleuses où l'on pouvait apercevoir les chiens qui gambadaient dans la forêt, le long de la rivière. Ils nous suivaient en courant, puis s'arrêtaient lorsqu'ils avaient besoin de se reposer. Nous prenions de l'avance sur eux, car nos canots étaient plus rapides. Leurs leaders connaissaient toutefois très bien la route à suivre et savaient chasser pour se nourrir en chemin. Quelques jours plus tard, ils finissaient par rejoindre le campement où nous passerions les prochains mois. Je m'émerveillais de les voir arriver, triomphants et heureux, après avoir franchi de si grandes distances. Ils étaient si libres et si fidèles à la fois !

Pour la saison froide, chaque unité de deux ou trois familles s'installait sur un territoire ancestral circulaire (d'un diamètre de plusieurs dizaines de kilomètres, selon les groupes), à proximité d'un cours d'eau principal. À l'intérieur de ce grand cercle, nous savions où habitaient les castors, les loups et les ours. Nous observions les allées et venues des chevreuils, des orignaux et des caribous. Nous ne tardions pas non plus à repérer le passage des renards, des martres et des rats musqués. Nous cohabitions avec ces esprits de la nature et bien d'autres encore, qui acceptaient de nous donner leur vie lorsqu'il le fallait. Nous savions gérer notre garde-manger vivant, et, surtout, nous nous savions responsables du bien-être de tous ces esprits.

L'hiver est rude en Abitibi. Les nuits de janvier et février, la température avoisine souvent les 30 ou 40 degrés au-dessous de zéro. Mais nous dormions bien au chaud autour du feu entretenu par papa dans la tente, emmitouflées dans nos sacs de couchage en peaux de lièvres retournées, confectionnés par maman. Le jour, nous étions tous actifs. Les femmes préparaient la nourriture, fabriquaient des vêtements ou partaient sur les lignes de trappe du petit gibier, pour voir ce que le Créateur avait choisi de placer dans les collets ou les pièges installés par les hommes. Ceux-ci coupaient aussi le bois, fabriquaient les raquettes, les traîneaux et les canots. La responsabilité de la chasse au gros gibier leur incombait. Leurs prises pouvaient nourrir le groupe entier, des jours durant.

Puis, au bout des longs mois d'hiver, retentissaient tout à coup dans le ciel les cris des premières outardes arrivant des lointaines contrées du sud. Tout le monde les saluait avec entrain : « K8e, k8e ! Mino picaok ! Bonjour, bonjour ! Soyez les bienvenues ! » Et les plus gourmands d'ajouter, le sourire en coin : « Vous serez bientôt les bienvenues dans mon assiette ! » Le retour des oies sauvages signalait l'arrivée du printemps et donc un nouveau départ pour nous. Avec excitation, nous remballions nos affaires et nous nous mettions en route vers notre point de rencontre d'été. Plusieurs dizaines — parfois quelques centaines — de familles se regroupaient à l'embouchure d'un important cours d'eau ou sur les berges d'un lac. Durant l'été, nous permettions au gros gibier et aux petits animaux à fourrure d'élever leurs petits en toute tranquillité, tout en reprenant des forces. Jamais nous ne les chassions ni ne les trappions. Pour notre subsistance, nous nous tournions vers les oiseaux migrateurs, leurs œufs, les poissons et les petits fruits.

En été, mes ancêtres avaient l'habitude de se rassembler sur les rives du grand lac Abitibi, en un lieu que nous appelons Matcite8eia et que les Blancs ont baptisé la pointe aux Sauvages. Nous savions que cet endroit très sacré était fréquenté par notre peuple depuis fort longtemps. Des découvertes scientifiques récentes ont pu le confirmer. Dans les années 1990, j'ai élaboré un plan de protection de la mémoire de ce lieu. Cela nous a notamment permis d'obtenir des fonds pour mener des fouilles archéologiques. Les chercheurs ont trouvé divers artefacts — ossements, pointes de flèches, couteaux, fragments de pipes, etc. — qui remontent à au moins 8 000 ans.

Notre mémoire ancestrale parle aussi d'une île que nous appelons Askik8ac, située à environ 200 kilomètres à l'est du lac Abitibi. Mon père disait qu'en cet endroit se réunissaient jadis non seulement certaines familles mami8innis, mais aussi des visages d'autres nations venues des quatre points cardinaux. Nous savons que nos ancêtres se réunissaient en ce lieu depuis des temps immémoriaux, car Askik8ac signifie dans notre langue « point de rassemblement des phoques ». Or, il y a belle lurette que les phoques ne vont plus là, car la mer la plus proche est aujourd'hui à des centaines de kilomètres plus au nord.

Askik8ac est aujourd'hui appelée «île Siscoe» par les Blancs. Il s'agit d'une île du lac Kienawisik, dans la région de Val-d'Or. Il y a quelques décennies, les Anicinapek ont été contraints d'abandonner Askik8ac à tout jamais. L'île a été acquise par une compagnie minière et la Gendarmerie royale du Canada a sommé les populations autochtones de quitter les lieux.

Au printemps, nous nous déplacions sur les lacs et les rivières gelés, au commencement de la fonte des neiges. Nos ancêtres nous ont bien appris à estimer l'épaisseur de la glace en observant sa teinte. Cela nous permet de juger si le passage est sûr. Les noyades sont très rares chez nos peuples, car tous ceux qui ont appris à bien observer la nature ne vont jamais à l'encontre de ce qu'elle leur impose. Jamais un Anicinape ne prendra son canot si les vagues sont trop agitées. Si le temps est mauvais, il ne sortira pas non plus. La pluie, les orages et les tempêtes hivernales commandent le repos. Nous restons bien au sec dans nos habitations et en profitons pour méditer, discuter ou fabriquer de beaux objets. Les animaux font d'ailleurs preuve de la même sagesse. Par mauvais temps, ils restent bien au chaud dans leur nid ou leur tanière.

Comme de nombreuses espèces d'oiseaux, nous savions déterminer le moment propice pour notre grande migration semestrielle. Les anciens savaient prédire la météo en se mettant à l'écoute des messages de la nature, par exemple la direction des vents, la couleur d'un coucher de soleil ou l'aspect des nuages autour de la lune. Pour le voyage du printemps, nous partions en raquettes. Les femmes transportaient les bébés dans leur *tikinakan*[12] ; les hommes et les enfants les plus vieux halaient les traîneaux chargés de bagages. Le voyage durait plusieurs jours, mais rien ne pressait. C'était un plaisir et non une corvée. Lorsque la fatigue se faisait sentir, nous nous arrêtions tout simplement et installions notre campement pour la nuit.

Arrivés à destination, c'était le bonheur des grandes retrouvailles. Les premiers sur place pariaient sur l'identité des silhouettes qu'on voyait poindre à l'horizon. C'était la fête après les longs mois de froidure passés loin des autres. Les beaux jours de soleil et de chaleur revenaient

---

12. Le *tikinakan* est un porte-bébé dorsal. L'enfant bien emmailloté est glissé dans une enveloppe en cuir (doublée de fourrure en hiver), attachée à une armature en bois. Un demi-cerceau est fixé sur la partie supérieure de l'armature, afin de protéger l'enfant si le *tikinakan* tombe. Ce porte-bébé ingénieux peut aussi flotter. Grâce au demi-cerceau fixé à l'avant, le *tikinakan* se retourne automatiquement du bon côté et le bébé peut flotter sur le dos, jusqu'à ce qu'on le rattrape.

enfin et nous en profitions pour tenir diverses cérémonies et partager les dernières nouvelles. À son arrivée, chaque famille reprenait sa place habituelle. Les perches des tipis étaient restées au même endroit. Il suffisait de les couvrir avec les peaux de gros gibier et le tour était joué. Monter un tipi ne prenait guère plus d'une trentaine de minutes.

Ensuite, les hommes et les femmes-médecine montaient les *matato miki8am* et les *kosapacikan*, c'est-à-dire les huttes de sudation et les tentes tremblantes servant aux rituels de guérison. Les hommes et les femmes-médecine des nations algonquiennes perpétuent les enseignements du *mitete8in* depuis la nuit des temps. Ces savoirs sont transmis oralement ou par le biais du *mekis* (coquillage) sacré, c'est-à-dire les ceintures wampum. Le *mitete8in* constitue un ensemble de connaissances permettant aux humains de vivre en bonne santé, dans leur corps, leur cœur et leur esprit. Les hommes et les femmes-médecine anicinapek savent donc comment soigner par les plantes et par d'autres remèdes issus de la nature, mais ils savent aussi débloquer ou stimuler l'énergie de vie, si besoin est. Ils enseignent notre philosophie et guident ceux qui le veulent vers la connaissance de soi. N'eussent été leur sagesse et leur force tranquille, je crois que je ne serais plus de ce monde. Sans eux, je me demande également si nos peuples auraient survécu aux terribles épreuves des derniers siècles.

Je sais que, pour plusieurs lecteurs, une existence telle que la nôtre peut sembler exigeante et rude. Pourtant, il n'en est rien. Vivre en symbiose avec la nature *est* ce dont l'humain a fondamentalement besoin. L'humain est issu de la nature. Il recherche l'harmonie de la nature dans toutes ses fibres. La vie des nomades est une vie de grande liberté, où les seules lois qui s'imposent sont celles de la forêt et de l'entente cordiale avec ceux qui nous entourent, y compris la faune et la flore.

Les familles anicinapek de nos forêts ont l'habitude de s'étendre, dans le tipi ou le *capat8an*[13], sur un lit de branches de sapin fraîches — qui dégagent un parfum exquis! — et sur des peaux de gros gibier.

---

13. Habitation traditionnelle hémicylindrique. Son armature arquée est fabriquée à l'aide de jeunes arbres flexibles. Comme pour les tipis, on recouvrait autrefois le *capat8an* avec des peaux de gros gibier ou de l'écorce de bouleau. À l'arrivée des premiers Européens, les Anicinapek ont découvert la toile en coton et l'ont vite adoptée pour le recouvrement de leurs habitations.

La nuit, nous sommes bercés par la présence sonore du feu qui nous tient au chaud et nous réconforte. Nous dormons en contact direct avec la Terre-Maman. Cela est source d'une grande énergie. L'encombrement par les biens matériels représente un réel problème pour les nomades, car cela rend les déplacements désagréables. Puisqu'elles sont rares, nos moindres possessions deviennent un peu comme des amies que nous apprécions sans cesse : une couverture, une gamelle, une parure, sans oublier bien sûr les divers objets sacrés reçus au fil du temps.

La porte d'une habitation nomade n'est jamais fermée à clef. Si un étranger vient à passer devant chez nous, nous ressentons la joie et non la crainte de la rencontre. Lorsque les familles les plus proches vivent à des kilomètres de chez soi, la notion d'espace vital n'est pas tout à fait la même que dans les villes ! Le rythme quotidien n'est pas le même non plus. Il y a donc une prédisposition toute naturelle à accueillir l'étranger. Son arrivée n'est pas une intrusion, mais un cadeau.

En fait, cette vie ne provoque aucun stress. Déjà, à l'arrivée des premiers Blancs sur notre terre, notre conception du bonheur, du bien-être et de la santé échappait totalement à une grande majorité de colons français. Voici l'extrait d'une lettre rédigée en 1691 par l'interprète français Chrestien Leclercq, à la suite d'une conversation avec un chef de la nation micmac[14]. Des « Messieurs » de la Nouvelle-France voulaient savoir pourquoi les Sauvages ne souhaitaient pas vivre et s'établir à la manière européenne :

> … quelques-uns de nos Messieurs de l'Isle Percée [...] furent extrémement surpris, lorsque le chef qui avoit écouté avec beaucoup de patience, tout ce que je lui avois dit de la part de ces Messieurs, me répondit en ces termes. [...] Tu te trompes fort, si tu prétens nous persuader que ton païs soit meilleur que le nostre ; car si la France, comme tu dis, est un petit Paradis Terrestre, as-tu de l'esprit de la quitter, & pourquoy abandonner femmes, enfants, parens & amis ? Pourquoy risquer ta vie tous les ans, & te hazarder temerairement en quelque saison que ce soit aux orages, & aux tempêtes de la mer, pour venir dans un païs étranger & barbare, que tu estimes le plus pauvre & le plus malheureux du monde. Vous

---

14. Nation autochtone établie dans les régions de l'est du Canada et appartenant à la grande famille algonquienne.

êtes obligez d'avoir recours aux Sauvages, que vous méprisez tant, pour les prier d'aller à la chasse, afin de vous régaler. Or maintenant dis-moi donc un peu, si tu as de l'esprit, lequel des deux est le plus sage & le plus heureux; ou celuy qui travaille sans cesse, & qui n'amasse, qu'avec beaucoup de peines, de quoi vivre; ou celuy qui se repose agreablement, & qui trouve ce qui luy est necessaire dans le plaisir de la chasse & de la pêche.

Aprens donc, mon frere, une fois pour toutes puisqu'il faut que je t'ouvre mon cœur, qu'il n'y a pas de Sauvage, qu'il ne s'estime infiniment plus heureux, & plus puissant que les François[15].

Ce que ce chef micmac d'une autre époque a déclaré est encore ce que nos anciens tenteraient d'exprimer aujourd'hui, si vous leur posiez la même question. D'ailleurs, à force de voir les visages pâles s'échiner au travail du matin jusqu'au soir sans jamais sourire, et à force de les voir couper quantité d'arbres de façon inexplicable, les Anicinapek ont fini par désigner les Français du nom de *8emitekoci*. Ce mot, très difficile à traduire, évoque à la fois le visage de bois sculpté (qui ne sourit jamais) des Français et leur habitude d'abattre les arbres sans raison valable.

Trois siècles plus tard, les visions de prospérité et de bien-être des Anicinapek et des hommes blancs sont toujours contradictoires. La seule chose qui a changé, c'est le niveau de fatigue de nous tous. La Terre-Mère approche de son seuil d'épuisement irréversible. En outre, un très grand nombre d'Anicinapek sont accablés par leur manque de connexion avec la nature. D'une manière générale, on dirait qu'une majorité d'humains n'en peuvent plus de vivre dans l'état de stress actuel.

Pouvez-vous imaginer une existence sans soucis ? Rien à calculer ou à planifier pour la survie du lendemain ou de la fin du mois. Il suffit de vivre au jour le jour. Tout est accessible à tous : la nourriture,

---

15. Extrait d'une lettre retranscrite dans l'ouvrage *Sous haute surveillance, le Moulin à paroles*, publié en 2010 aux éditions L'instant même.

les vêtements, les abris, le chauffage, le transport... Il n'y a ni riches ni pauvres. Tous et chacun méritent de manger et de nourrir leurs enfants, sans crainte pour l'avenir. La forêt distribue ses largesses gratuitement. La seule chose que nous devons lui offrir en retour, c'est notre respect. Comment pourrait-il en être autrement, dites-moi ? Lorsque vous tenez une perdrix qui vient de donner sa vie pour la vôtre, lorsque vous retirez ses belles plumes, que vous ouvrez son corps fragile et que vous découvrez les brindilles et les petits bouts de feuillage encore intacts dans son estomac, comment ne pas lui dire « *Mik8etc, mik8etc, mik8etc*[16] ! » ?

La perdrix s'est nourrie au jour le jour avec ce que le Créateur lui offrait de plus pur. Il en va de même pour l'Anicinape. Comment manger le lièvre, le castor ou l'orignal, comment tanner leur peau ou sculpter leurs os sans se sentir infiniment reconnaissant envers ces magnifiques créatures ? Quand votre demeure est la forêt entière, comment ne pas être sensible à la chanson du vent dans les arbres, au glissement du canot sur les eaux calmes, au spectacle d'une maman ourse se baladant avec ses oursons, à la splendeur des levers du soleil ou de la voûte étoilée ? De quoi pourrions-nous être plus riches, je vous le demande ?

---

16. « Merci, merci, merci ! » Prononcer « migouetch ».

# Deuxième Feu

*Kapiteotak : celui qu'on entend pleurer de loin*

Le deuxième prophète a dit au peuple :

« Vous reconnaîtrez le Deuxième Feu, parce que, en ce temps-là, la nation sera cantonnée près d'une grande étendue d'eau. En ce temps-là, la direction de la Coquille sacrée sera perdue. La force du *mitete8in* sera diminuée. Un garçon naîtra pour montrer le chemin du retour aux traditions. Il indiquera les étapes à suivre pour assurer les Anicinapek de leur avenir. »

Les Anicinapek ne sont pas très bavards, c'est connu. En fait, ils ne parlent jamais à tort et à travers ou simplement pour entretenir la conversation. « Maîtrise ta langue dans ta jeunesse, disait le vieux chef Wabasha, et à l'âge mûr tes pensées se mettront au service de ton peuple[17]. »

Puisque les paroles de nos anciens sont issues d'un silence inspiré, cela leur confère toujours une grande portée. Mes parents n'échappaient pas à cette règle. Ils m'ont livré maints enseignements des plus utiles, mais ils étaient avares de commentaires quant à leur histoire personnelle. C'est la raison pour laquelle je ne sais pratiquement rien

---

17. Charles A. Eastman, *L'âme de l'Indien*, Paris, Éditions Pocket, 1996.

de leur rencontre, si ce n'est qu'elle s'est produite dans les années 1930, sur les berges de la très belle Anakona Sibi, la « rivière aux biscuits », appelée ainsi en raison des galets plats qu'on trouve au bord de ce large cours d'eau, qui évoquent de jolis biscuits. Les Blancs entendirent plutôt le mot « Harricana » (qui ne veut rien dire dans notre langue) et baptisèrent notre rivière à leur façon.

Ma mère, Emma Moé, appartenait à la nation crie. Elle est née en 1913 à 8askakanic, là où la rivière Rupert se jette dans l'imposante baie James. Emma était une femme extrêmement équilibrée et de tempérament sérieux. Très prodigue de ses câlins et autres marques d'affection, elle était absolument incapable de hausser le ton envers qui que ce fût.

Mon père, Tom Rankin, était quant à lui d'origine mami8inni. Né au lac Abitibi la même année que ma mère, il est issu d'une lignée de chefs et hommes-médecine dont la mémoire remonte à la nuit des temps. Avant l'instauration d'un système politique reproduisant celui des Blancs dans nos communautés, le chef traditionnel se devait d'étudier la philosophie et la médecine de nos ancêtres. Dans notre langue, nous appelons le chef héréditaire « *Okima* », ce que les Blancs ont traduit par « chef ». Ces derniers ont souvent qualifié les fils et filles d'*Okima* de « princes » et « princesses », mais c'est une interprétation assez décalée. De nos jours, les chefs politiques de nos nations se font appeler *Okima*, mais le sens ancestral de cette appellation s'est déprécié. Le véritable *Okima*, tel qu'on l'entendait jadis, c'est le sage, le conseiller, le pilier de sa communauté. Il sait parler le langage de la nature et son écoute est immense. Quand quelqu'un vient à sa rencontre, ce n'est pas pour parler finances, développement économique ou manœuvres politiques. En fait, ce que mon père m'a transmis, ce n'est pas le « pouvoir », mais bien la « médecine ». La différence est grande.

Par ailleurs, je tiens à mentionner que, chez nous, la médecine traditionnelle n'est pas seulement l'apanage des hommes. Les femmes aussi peuvent y être destinées. En réalité, selon notre vision, nous naissons tous hommes et femmes-médecine. Certains sont toutefois appelés à approfondir ces connaissances et ces pratiques. L'expérience et le dévouement de mon père envers notre sagesse ancestrale ont fait de lui un homme dont la médecine s'est avérée très puissante.

❖

À l'époque où mes parents sont nés, la traite des fourrures était encore active. La rivière Anakona était la voie principale de transport entre les secteurs du sud et la baie James, où les navires marchands britanniques venaient s'approvisionner en pelleteries de toutes sortes. De nombreux Cris avaient pris l'habitude de voyager régulièrement sur ce cours d'eau avec leur famille, afin de transporter les marchandises en provenance du sud, là où vivaient les Algonquins. C'est à l'occasion de ces contacts entre Cris et Algonquins que mes parents se sont connus et aimés. Ils se sont mariés au lac Abitibi et ont continué à fréquenter ce lieu si cher aux ancêtres de mon père.

Depuis de nombreuses années, les Blancs avaient installé des postes de traite à Matcite8eia, notre point de rencontre d'été au lac Abitibi. Ils savaient qu'ils pouvaient nous retrouver là tous les ans, rassemblés en nombre. Comme nous revenions de nos territoires de trappe, nous avions toujours de belles peaux de gibier à leur proposer.

Pendant longtemps, les Britanniques de la Compagnie de la Baie d'Hudson furent rois et maîtres dans nos régions. Grâce aux renseignements fournis par les Autochtones, ils ont su tirer parti du gigantesque réseau hydrographique qui donnait accès au moindre recoin de la forêt canadienne. À l'époque de la Nouvelle-France, plusieurs Français se firent coureurs des bois ou « voyageurs », c'est-à-dire qu'ils sillonnaient nos rivières d'un bout à l'autre du pays, à leurs risques et périls, afin de participer eux-mêmes au transport commercial. Quand les Britanniques s'emparèrent du territoire, ils eurent plutôt recours au savoir-faire des Amérindiens pour ces tâches. Malheureusement, on rétribuait souvent bien mal les Autochtones pour le transport des fourrures. Une fois la marchandise arrivée à destination, les Anglais payaient les Anicinapek avec des litres et des litres d'alcool. Pendant longtemps, chez les nôtres qui avaient accepté de faire ce travail, les noyades se comptèrent par centaines sur le chemin du retour.

Contrairement à nos frères innus de l'est du pays, la majorité des Algonquins s'en sont tout de même tenus à un minimum de troc avec les Blancs. Nous avons commencé à apprécier les produits européens tels que les condiments et les ustensiles de cuisine, les étoffes, les chaussures et les outils. Ces aliments et ces objets étaient certes pratiques, mais, s'il le fallait, nous pouvions nous en passer. Au XVIIIe siècle, la traite des fourrures s'est déplacée vers nos territoires, au détriment des Innus. Ayant épuisé la ressource animale et trop vite adopté les produits des Blancs, au point d'en devenir dépendants, les Innus ne savaient plus tirer leur subsistance de la forêt et subirent de nombreuses famines. Peut-être aurions-nous fini par en arriver là, nous aussi, mais l'histoire nous réservait des défis différents.

Mes ancêtres m'ont raconté qu'ils se méfiaient des méthodes de commerce britanniques. Puisque nous ne savions pas lire, les marchands de Sa Majesté peignaient sur un mur de leur magasin général différents articles convoités par les nôtres : un sac de farine, une couverture, une carabine, etc. Selon leur valeur, les articles étaient peints plus ou moins haut sur le mur. Lorsque l'Anicinape se présentait au magasin, on lui remettait en principe une baguette de bois de la hauteur de sa pile de fourrures. Il pouvait ensuite plaquer son bâton contre le mur où figuraient les produits disponibles, pour voir ce qu'il pouvait se procurer. Or, les Britanniques étaient munis d'un compresseur qui aplatissait sans vergogne le fruit de notre travail. Ainsi, l'Anicinape ne parvenait jamais à tanner suffisamment de peaux pour obtenir la baguette la plus longue, celle qui pouvait atteindre le dessin de la carabine.

Si nous le voulions, nous pouvions obtenir, en échange de nos pelleteries, un bon en papier pour des achats ultérieurs. Selon la valeur de nos fourrures, ces bons pouvaient valoir *one pound* ou *one shilling*… L'Anicinape non averti (et analphabète) ignorait toutefois que ces titres n'étaient valides que pour un certain temps. Plusieurs se sont fait berner, croyant à tort qu'ils pourraient s'acheter des fournitures ou des vivres dans les mois à venir. Les méthodes de la Compagnie de la Baie d'Hudson ont valu aux Britanniques le surnom de *Kimoti8inni* dans la langue algonquine, ce qui signifie « peuple voleur ».

Puis, un beau jour, les Français sont arrivés au lac Abitibi. La conquête de la Nouvelle-France par les Britanniques était bien loin derrière. Le Canada volait désormais de ses propres ailes, en tant que confédération autonome, et les règles de la libre concurrence prévalaient. C'est ainsi que la compagnie Revillon Frères put s'installer juste en face du comptoir britannique de Matcite8eia. Nous avons vite constaté que les Français étaient de commerce plus agréable que les Anglais. Ils nous payaient en argent et, fait intéressant, ils tenaient à gérer la ressource. Jusqu'à ce jour, la traite des fourrures avait pris des proportions démesurées. Les fourrures de castor étaient les plus prisées par les Européens, qui en faisaient des manteaux et des chapeaux à la mode. Résultat : les castoridés étaient en voie d'extinction chez nous. En instaurant des quotas de trappe et en réintroduisant dans nos forêts une race de castor venue d'Allemagne, nous avons réussi à sauver l'espèce, qui abonde de nouveau sur nos terres. Encore de nos jours, deux variétés de castors se reproduisent dans notre pays. Quand nous en trouvons un dont les poils tirent sur le roux, nous savons que ses ancêtres étaient des castors allemands. Par contre, lorsque son pelage est d'un brun sombre, nul doute que nous avons affaire à un bon vieux castor «pure laine» de chez nous !

Pour tous les nomades de ce pays — Inuits ou Amérindiens de l'Est ou de l'Ouest —, les points de rencontre estivaux constituèrent la porte d'entrée par excellence des hommes et des femmes de Dieu en mission d'évangélisation. Petit à petit, d'une conversion à l'autre, les traditions chrétiennes prirent place dans nos mœurs religieuses. Les missionnaires construisirent des églises à côté des postes de traite, puis ne tardèrent pas à propager l'obligation des baptêmes et des mariages. Les anciens de ma nation se souviennent d'une époque où, tous les étés, les missionnaires rassemblaient les célibataires et formaient eux-mêmes des couples à marier : « Toi, là-bas, approche. Tu vas épouser ce Sauvage. Et toi, ici, tu feras l'affaire pour cet homme... » Des hommes et des femmes qui ne se connaissaient pas la veille se retrouvaient face à l'autel, jurant fidélité pour le reste de leurs jours, sans avoir appris à s'apprivoiser un tant soit peu.

De la même manière, les nouveau-nés recevaient le sacrement du baptême. Une fois par année, les prêtres les rassemblaient, puis désignaient rapidement un Blanc en guise de parrain. Il était bien sûr hors de question qu'un Sauvage puisse prétendre à ce titre ! C'est dans ce contexte que mon arrière-arrière-grand-père fut baptisé Collins Rankin, du nom d'un employé écossais de la Compagnie de la Baie d'Hudson qui passait probablement par là le jour des baptêmes. Depuis lors, la lignée dont je suis issu porte ce nom, même si aucune goutte de sang écossais ne coule dans nos veines. Puisque les Écossais et les Anglais étaient nombreux dans nos régions à l'époque de mes aïeux, plusieurs d'entre nous portent des patronymes tels que Ruperthouse, McDougall et McKenzie.

À la même époque, les Français obtenaient des succès avec la traite des fourrures dans l'Ouest canadien, et l'on retrouve là-bas des familles autochtones qui s'appellent Larivière, Boudrias ou Delaronde, sans pour autant avoir du sang français.

❖

Une douzaine d'années se sont écoulées depuis le mariage de mes parents. Nous sommes maintenant en 1947. Emma et T8amy (le prénom de mon père en anicinape) ont donné la vie à douze beaux enfants. Malheureusement, quatre d'entre eux sont morts, emportés par la maladie. L'envahissement de nos territoires par les traditions et les politiques des Blancs se fait de plus en plus sentir. Mes parents perpétuent néanmoins avec joie le mode de vie nomade légué par leurs ancêtres.

Pour la saison hivernale de chasse et de trappe, ils se sont installés avec leur progéniture, en compagnie de quelques autres familles, en un lieu que nous appelons Kakicka8ak («là où les eaux sont profondes»), sur les berges d'Anakona Sibi. Emma est enceinte pour la treizième fois et sa grossesse ne se déroule pas bien : elle perd du sang depuis plusieurs semaines, ce qui inquiète mon père. Loin des hôpitaux et de la médecine dite moderne, ma mère accouchera à nouveau en plein cœur de la forêt. Il s'agira de son treizième accouchement, mais non pas le dernier. Elle donnera ensuite la vie à cinq autres enfants !

Ce soir-là, comme d'habitude, Emma et T8amy ont raconté des histoires et chanté des berceuses pour endormir les enfants. Le feu ronronne doucement dans le petit poêle à bois que mon père a installé près de la porte de notre tente de prospecteur. (Depuis quelques années, plusieurs familles anicinapek ont adopté ce nouveau type d'habitation, plus spacieuse qu'un tipi, mais tout aussi facile à transporter.) Le vent s'est calmé et les loups chantent en chœur au loin. Emma s'apprête à se laisser bercer par leur douce mélopée, quand tout à coup une contraction la fait tressaillir.

«*T8amy ! 8anickan !* Réveille-toi !», chuchote-t-elle à l'oreille de mon père pour ne pas réveiller les enfants. «Depuis ce matin, je suis inquiète, car mon ventre m'annonce la naissance du bébé. Les douleurs n'étaient pas très fortes, mais elles s'intensifient. Je crois que le temps approche réellement.

— Mais le bébé n'est pas à terme, rétorque mon père. Nous l'attendons dans deux lunes seulement.

— Je sais, mais je pense qu'il vaut mieux prévenir les autres. Préparez la tente pour l'accouchement. Je vais réveiller *Kitci* Jojo, grand-maman Betsy.»

Chez nous, les hommes aussi bien que les femmes sont entraînés aux accouchements. T8amy enfile ses vêtements et ses bottes et va chercher Annie, la sage-femme, ainsi que son mari, Noye Kistabish, qui connaît bien la médecine de notre peuple lui aussi. En mettant leurs connaissances et leur expérience en commun, ils pourront peut-être réussir à sauver l'enfant et à protéger sa mère, dans ces circonstances qui s'annoncent difficiles.

On allume un feu dans la tente réservée aux cérémonies et à la médecine. Des fourrures, des couvertures, de l'eau chaude et des linges propres y sont transportés. Annie prépare une décoction à base d'écorce d'aulne qu'on fait boire aux femmes prêtes à accoucher — cette médecine permet de contrer les hémorragies. Lorsque Emma arrive, soutenue par grand-maman Betsy, son ventre a déjà laissé jaillir ses eaux sacrées. L'arrivée de l'enfant est imminente.

« Tout ira bien, annonce mon père d'une voix qu'il s'efforce de rendre rassurante.

— J'ai confiance en vous, dit ma mère, mais cette fois j'aurai besoin de votre aide et de celle de *Kitci* Manito. Mes douleurs sont beaucoup plus grandes qu'à l'habitude. J'ai peur pour le bébé.

— Tu es forte, Emma, répond Annie. Ne laisse pas la peur envahir ton corps et ton esprit. Nous avons déjà vu des bébés survivre à cet âge. Je sais que vous serez capables d'y arriver. »

Quelques heures plus tard, le nouveau fils d'Emma Moé et Tom Rankin voit le jour. Ce gros bébé prématuré de quatre kilos et demi n'est nul autre que moi !

J'ai donné bien du fil à retordre à ma mère, mais au grand soulagement de tous, nous sommes en vie. J'ai bu tout mon saoul, bien accroché au sein de maman. Cependant, je respire péniblement.

« Ses poumons ne semblent pas bien formés, constatent mon père, Annie et Noye.

— Il vivra. Je sais qu'il vivra », affirme ma mère avant de sombrer dans un profond sommeil.

Les loups ont cessé de chanter depuis longtemps, maintenant. Les premiers rayons du soleil dansent à l'horizon. Comme pour chacun de ses enfants, T8amy porte son nouveau-né bien emmailloté jusqu'à l'extérieur du campement et le soulève à bout de bras afin de le présenter au Grand Esprit :

« Je te présente ton nouvel enfant, Mino Manito. Veille sur lui. Donne-lui ta lumière pour qu'il prenne des forces et donne-lui une bonne vie. »

❖

Trois semaines ont passé depuis ma naissance mouvementée. Je ne paie pas de mine et ma mère continue de perdre un peu de sang. Mon père décide de partir vers le sud, avant que les cours d'eau sortent de leur lit de glace. Nos familles quittent donc Kakicka8ak pour le lac 8akocik, où s'installe normalement le cousin de ma mère, Albert Moé, que nous appelions Okina8e, de même que *Kitci* Hendry et leurs familles. De plus, mon père sait que des oiseaux en métal conduits par des Blancs se posent de temps en temps au lac 8akocik, pour le négoce avec nos communautés. Peut-être pourront-ils nous aider ? C'est une longue randonnée qui nous attend. Plusieurs dizaines de kilomètres à franchir. Heureusement que nous avons les chiens pour tirer les traîneaux. Maman et moi pourrons y prendre place avec les bagages. Les plus forts marcheront en raquettes. Tous se font du mauvais sang pour nous. Peut-être pressentent-ils que nous avons un bien étrange rendez-vous avec le destin...

❖

Le voyage nous a affaiblis, maman et moi. Avec l'aide des autres adultes de notre groupe, mon père a pu dresser notre nouveau campement. Les beaux jours de *sik8an* (pré-printemps), avec leurs généreux rayons de soleil, nous procureront un certain regain d'énergie. Ce matin-là, quelques hommes sont partis en quête de nourriture. Papa et Okina8e fendent du bois non loin de notre tente quand tout à coup un vrombissement singulier se fait entendre dans le ciel.

«*Ma ?* interroge mon père. Qu'est-ce qu'on entend ?

— On dirait le bruit d'un oiseau en métal, répond Okina8e. Il semble venir vers nous. Voilà peut-être ta chance, T8amy. »

Dans nos forêts du Nord, peu d'entre nous avaient vu ces fameux oiseaux en métal à bord desquels les 8emitekoci voyageaient souvent. Ce jour-là, c'est bien chez nous que le curieux volatile s'apprête à se poser. Il s'agit d'un hydravion équipé de skis pour l'hiver. Comme on l'espérait, l'appareil se pose sur le lac 8akocik, mais l'atterrissage n'est pas facile. De grosses lames de neige strient la surface du lac gelé et donnent du fil à retordre au pilote, si expérimenté soit-il. Guidé par la fumée de nos feux, celui-ci s'arrête tout juste devant l'entrée du campement.

« *K8e k8e !* », lance le pilote en sortant de son ancien appareil de l'armée canadienne transformé en avion de brousse. « *Ki mino matisin na ?* Vous allez bien ? »

Cet homme s'appelle George Polly. Il connaît bien notre peuple et se débrouille un peu dans notre langue. Depuis plusieurs années, il sillonne nos forêts à bord de son engin dans le but d'échanger diverses denrées contre nos fourrures. Son avion nous sert également de taxi, lorsque nous devons rapidement gagner la ville. Le bruit de ses moteurs a attiré toute notre petite communauté qui s'agglutine joyeusement autour de lui.

« *K8e k8e !* répond mon père en lui tendant la main. *Pican*, venez. Allons prendre le thé. »

On invite le pilote à s'asseoir près du feu qui danse au milieu du campement. En lui tendant doucement une tasse de thé bien chaud (il y en a toujours de prêt), on s'enquiert des dernières nouvelles de la ville. Ce jour-là, cependant, mon père n'est pas très volubile. L'état de santé de son épouse adorée et de son fils nouveau-né le préoccupe. Après avoir permis aux adultes de bavarder un peu avec ce visiteur rare, mon père sent que le moment est propice pour ce qu'il a à demander. Dans sa langue et tant bien que mal dans celle de Shakespeare, il exprime ce qui le tourmente depuis plusieurs semaines :

« *Akosi ni kokum, acitc ni kosis.* Ma femme est malade, mon fils aussi. Notre médecine ne fait pas effet et je priais pour que le Grand Esprit nous aide. Peut-être est-ce Lui qui vous envoie. Pouvez-vous les emmener vers la médecine des Blancs avec votre avion ?

— Je comprends ta situation, T8amy. Je voudrais bien emmener les tiens à l'hôpital le plus proche, mais ce serait un détour par rapport à la route que je dois suivre. Je n'aurai pas assez de carburant pour m'y rendre.

— Mais nous en avons tous un peu ici, dans des bidons, répondent les hommes de ma famille. Nous pouvons sûrement remplir ton réservoir.

— C'est risqué, car cela va nous donner tout un mélange de fioul et d'essence, mais j'accepte. Allons-y ! »

Le pilote avait pris quelques secondes de réflexion, mais, devant mon père qu'il estimait beaucoup, il ne pouvait éprouver qu'un élan du cœur. Mon papa jouissait en effet d'une excellente réputation bien au-delà de nos forêts. Tous les Anicinapek de nos régions avaient entendu parler de *Kitci* T8amy, le « grand homme ». Les Blancs le connaissaient aussi, mais par son nom de baptême, Tom Rankin. À maintes reprises, il avait traité avec eux pour des contrats de défrichage ou à titre de chef et de porte-parole de la nation mami8inni, ou pour négocier quelque entente gouvernementale au nom de son peuple. Partout, chez les Blancs ou les Anicinapek, le grand *Okima* Tom Rankin était hautement apprécié pour son écoute, son calme, son sens de la justice et son humour attachant.

Sans tarder, ma mère, moi et une autre femme ayant besoin de soins montons à bord du petit avion en partance pour l'hôpital de La Sarre. Avec un pincement au cœur, T8amy regarde l'appareil prendre son élan. Les grosses lames de neige sur le lac compliquent cependant les choses. L'oiseau de métal se met à bondir sur le lac, ce qui agite dangereusement le mélange de fioul et d'essence. Au grand désarroi de ceux qui sont restés au sol, le pire se produit : l'appareil prend feu. Plus le pilote tente de faire lever son engin, plus le carburant s'enflamme. Bientôt, on ne voit plus qu'une boule de feu filant à toute vitesse, et l'appareil finit sa course à l'autre bout du lac, sous les cris de la petite foule horrifiée : «*Mi apan aca ki8itci anicinapeminanak!* Ça y est! C'est la fin pour toutes ces personnes!»

Mû par son instinct de protection, T8amy enfile ses raquettes sans perdre une seconde et accourt vers nous. Il est le premier devant l'appareil en flammes. En ces temps-là, les hommes étaient drôlement forts, ou peut-être est-ce à cause de l'adrénaline, toujours est-il que, à mains nues, mon père arrache la porte de l'avion. Les autres hommes qui l'ont suivi ont retiré leurs raquettes et s'en servent pour jeter de la neige sur le fuselage.

Une fois à l'intérieur de l'appareil, mon père n'est pas au bout de ses peines. Tout le monde est inconscient à bord. Ma mère est attachée, moi je suis sur ses genoux. Son réflexe est d'extirper le banc où nous prenons place et celui du pilote. Il sauve également la pauvre femme malade. Puis l'avion s'enfonce dans les eaux marécageuses, sous la glace brisée.

Les hommes aident ma mère, l'autre femme et le pilote à regagner le campement. Quant à moi, j'ai cessé de respirer. Mon corps est tout bleu. Sachant que ma mère sera en sécurité auprès des femmes de notre clan, mon père décide de rester avec moi dans la forêt. Il m'étend sur un lit de branches de sapin, allume un grand feu sacré et me veille toute la nuit. Jamais je n'ai su ce qu'il a fait ensuite. Il est parti vers l'autre monde en emportant son secret. Quoi qu'il en soit, quelques heures après cet incident dramatique, *Kitci* T8amy, le grand homme, m'avait ramené à la vie.

Au lever du soleil, mes yeux se sont rouverts à ce monde et cette fois mes poumons fonctionnent à plein régime. Lorsque mon père me ramène dans ses bras au campement, mes pleurs retentissent bien fort dans la forêt. Ma mère — qui s'en est sortie miraculeusement — se repose. Lorsqu'elle entend mes cris au loin, elle comprend que je suis de nouveau bien vivant. Elle s'exclame, en pleurant de joie et de soulagement :

*« Aca Kapiteotak citcic takocin !* Voici venir l'enfant qu'on entend pleurer de loin. »

Depuis cette invraisemblable journée, les aînés m'appellent Kapiteotak, « celui qu'on entend pleurer de loin ». Cela peut aussi vouloir dire « celui qu'on entend chanter... ou râler de loin ». C'est selon ! Voilà néanmoins mon véritable nom. Incidemment, mon arrière-grand-père paternel portait ce nom lui aussi, car il paraît que ses chants résonnaient toujours bien fort partout où il allait.

Plus tard, comme le voulait la coutume, je fus baptisé et prénommé Dominique par les missionnaires catholiques. Cela dit, ceux qui me connaissent intimement savent à quel point le nom de Kapiteotak est lié au fil caché de mon histoire d'homme-médecine.

Ce mystérieux fil n'a pas échappé au regard perçant des anciens de mon peuple. Ils décelèrent immédiatement des signes évocateurs dans les circonstances de mes premiers jours sur terre. Ils dirent : « Cet enfant aura un destin différent des autres, car dès sa naissance il a reçu deux vies. L'une donnée par sa mère et l'autre, par son père. » Pour eux, ces événements semblaient me désigner comme successeur de mon père à titre de chef héréditaire. Les années suivantes allaient leur en apporter la preuve.

# Troisième Feu

## Ma première plume d'aigle

Le troisième prophète a dit au peuple :

> « Pendant le Troisième Feu, les Anicinapek trouveront la voie de leur terre choisie, une terre à l'Ouest où ils devront emmener leurs familles. Ce sera la terre où la nourriture pousse sur l'eau. »

L'été de mes sept ans reste gravé dans ma mémoire. Je suppose que mes souvenirs de cette période sont plus vifs parce que j'avais atteint l'âge où je devenais un petit homme, mais aussi parce qu'il s'agissait de mon dernier été de sainte paix avec ma famille — mais nous l'ignorions.

Nous vivions maintenant entre la ville d'Amos et le lac Abitibi, puisque les autorités ne nous permettaient plus de demeurer loin dans la forêt. Depuis quelque temps, papa avait trouvé du travail dans la petite localité de Saint-Marc-de-Figuery, située à une vingtaine de kilomètres au sud d'Amos. Comme d'autres Anicinapek, il participait à la construction d'une bâtisse, une future école, semblait-il. Les 8emitekoci étaient fiers de ces grosses boîtes carrées où l'on enseignait toutes sortes de choses pas très utiles à nos yeux. Quoi qu'il en soit, ce travail rapportait un petit salaire aux ouvriers anicinapek et les aidait à nourrir leur famille. Ce que ces hommes ignoraient, toutefois, c'est qu'ils étaient en train d'ériger les murs de ce qui serait bientôt la prison de leurs propres enfants.

❖

Pour le moment, en tout cas, nous arrivions encore à passer de beaux jours dans la forêt, où, pendant l'été, nous attendaient d'autres familles anicinapek. Que ce soit dans les territoires d'hiver ou d'été, j'adorais suivre les aînés qui partaient en quête de nourriture ou de médecine, plus loin dans la forêt. Personne ne faisait grand cas de mon destin de chef héréditaire, mais je sentais tout de même qu'on me considérait comme un enfant différent. Je savais qu'on me protégeait davantage des influences extérieures, qui se faisaient de plus en plus pressantes.

Je dormais souvent chez les autres grands-pères et grands-mères de ma communauté. Chez nous, les enfants sont toujours très libres. Dès que j'en avais l'occasion, il n'y avait rien de plus normal pour moi que de partir en excursion de quelques jours avec les différents *Kitci*, ceux qu'on appelait les « grands », vu leur sagesse : *Kitci* Andrew, *Kitci* Tcotcep, *Kitci* William Black... L'un m'emmenait sur les lignes de trappe ; l'autre m'invitait à cueillir de petits fruits tout en m'instruisant du comportement des différents animaux sauvages ; un autre m'apprenait à m'orienter dans la forêt :

« Regarde autour de toi. Observe les arbres et dis-moi si tu en vois au loin qui paraissent différents des autres.

— J'en vois là-bas qui sont plus clairsemés et plus petits.

— Exactement. Ces arbres sont de précieux points de repère. Si tu suis leur direction, tu tomberas immanquablement sur un lac ou une rivière. C'est là qu'il y a de la vie. C'est l'endroit le plus sûr pour l'être humain. Tu n'as pas besoin de t'en faire, si tu mets du temps à retrouver ton chemin. La forêt peut tout te donner pendant des jours. Évite la peur, l'inquiétude et le sentiment de solitude. Amuse-toi, plutôt. Pense aux animaux, comme *mak8a*, l'ours, ou *mahikan*, le loup. Crois-tu qu'ils se sentent perdus dans la forêt ? Comme eux, apprends à te sentir bien là où tu es, entouré des arbres, des oiseaux et des autres créatures qui sont chez elles, ici, au même titre que toi. »

La chasse et la trappe en compagnie des aînés m'obligeaient bien sûr à regarder la mort en face. Les grands-pères et les grands-mères m'enseignaient à respecter les animaux autant que les humains, à prier et à les remercier lorsqu'ils avaient accepté de nous donner leur vie. Ils me faisaient voir qu'en réalité la mort n'existe pas et que seules les formes sont changeantes. « Quand l'animal donne sa vie, m'expliquaient-ils, vois que c'est toujours la vie qui continue. L'animal existe encore à l'intérieur de toi, quand il te nourrit. Sa fourrure, son cuir et ses os continuent de vivre, mais d'une autre manière, grâce aux vêtements, aux outils et aux jouets qu'ils te procurent. »

❖

Le plus souvent, c'est avec mon père que je partais à l'aventure. Il aimait beaucoup m'emmener à l'autre extrémité du lac Abitibi. Les 8emitekoci avaient tracé une frontière au milieu de cette immense étendue d'eau sacrée, séparant ainsi ce qu'ils ont appelé les provinces de Québec et de l'Ontario. La terre, *aki*, n'était pas divisible pour nous. Aucune frontière ne séparait les humains, pas plus que la faune et la flore. Nos frères anicinapek, qui avaient l'habitude de s'installer de part et d'autre du lac, parlaient la même langue et formaient pour nous le même peuple, même si leurs dialectes étaient un peu différents et que certains les appelaient les Ocip8es.

Nous partions donc en canot, papa et moi, pour des voyages de quelques jours. À chaque étape, nous trouvions un emplacement parfait pour la nuit, sur les berges du lac. Nous allumions notre feu et préparions notre campement de survie.

«Donne-toi tout, me rappelait papa en montant le campement. Si tu sais bien l'observer et la respecter, la nature te comblera de tous ses cadeaux et t'assurera une bonne vie. Si le temps est mauvais, reste au sec et au chaud dans ton abri. Quand le temps est clément, rassemble tout ce dont tu as besoin pour ton bien-être. Tu n'as jamais à souffrir du froid, de la faim, de la soif ou de quoi que ce soit d'autre. Donne-toi tout, Kapiteotak. »

Au soleil couchant, nous allions visiter les barrages et les huttes des castors, en pagayant sur les eaux calmes du lac. Je prenais place à l'avant et mon père, à l'arrière, guidant notre embarcation.

«Les Anicinapek sont des nomades en raison des castors, expliquait papa en ramant doucement. Tous les automnes, à la première neige, il est important de visiter leurs cabanes afin de vérifier s'ils sont encore nombreux. S'il ne reste plus que de jeunes individus, cela signifie qu'il est temps d'installer notre campement ailleurs, où il y aura de nombreux castors adultes.

— Autrement, nous allons les éliminer.

— C'est ça. L'Anicinape sait qu'il doit veiller sur son territoire et sur les esprits qui l'habitent. Le castor fait partie des animaux les plus précieux pour notre survie. Sa viande est extrêmement nutritive. Sa fourrure et ses os sont très utiles. Nous faisons aussi sécher ses glandes pendant quatre ou cinq mois, le temps qu'il faut pour que la médecine qu'elles contiennent fermente et acquière toute sa force. Une fois qu'elles sont bien noires, les glandes sont prêtes à nous fournir leur puissante médecine. Les Blancs ont ce qu'ils appellent la pénicilline, nous avons les glandes de castor pour désinfecter une plaie ou engourdir une blessure. »

Je nous revois, papa et moi, sur les berges du lac, bien loin du campement familial. Le soleil vient de se coucher et nous avons terminé notre repas de *kinoce*[18] grillé. Papa lave nos assiettes et nos tasses en grès, puis il m'invite à entrer dans l'eau :

« *A8sa, pican!* Allez, approche! Retire tes vêtements. *Pakopin*, entre dans l'eau. Je veux te montrer quelque chose. »

Trop content de me baigner dans les eaux invitantes du lac en cette douce soirée de la fin août, je m'exécute sans broncher.

« À cette époque de l'année, les castors sont bien gras, m'instruit mon père debout sur la grève. Ils se sont si bien nourris ces dernières semaines qu'une huile suinte de leur corps et se retrouve dans l'eau. On ne peut pas la voir depuis les berges, car elle ne flotte pas. Mais, si tu remarques bien, tu peux la sentir sous la surface du lac.

— *Tep8e na?* C'est vrai?... Ah, mais oui, je la sens, maintenant!

— Cette huile possède des vertus médicinales. Les gens qui ont des problèmes de peau peuvent en retirer d'immenses bienfaits. »

On entend soudain, non loin de nous, le son distinctif d'un castor frappant de sa queue la surface de l'eau.

« Ça y est. Ils se mettent maintenant à l'ouvrage, annonce mon père. Nage lentement vers le milieu du lac. Ne fais pas de vague et reste calme. Ta présence éveillera leur curiosité et ils voudront savoir qui tu es. »

Papa a vu juste. Quelques minutes plus tard, je me retrouve parmi une dizaine de castors laborieux. Ils vont et viennent consciencieusement autour de moi. Les adultes sont tous bien affairés à transporter dans leur petite gueule des branches à l'écorce savoureuse pour leurs petits, ou à regagner la rive pour abattre un gros arbre. Les plus jeunes s'approchent de moi avec curiosité. Nous barbotons doucement les uns avec les autres, question de faire connaissance. Je suis ravi.

« *Kapiteotak, ki wi nipa na?* Kapiteotak, veux-tu dormir? me demande mon père qui avait pris place près du feu pendant ma baignade.

— *Ehe! Nokom ni ka pica.* Oui, j'arrive dans un instant. »

---

18. Brochet.

Papa m'attend sur notre lit de branches de sapin, sous l'appentis qui nous sert d'abri temporaire. Derrière le feu, il a érigé un muret réflecteur qui repousse la chaleur jusqu'à nous[19]. Il fait bien chaud dans notre petit nid. Toute la nuit, papa s'occupera du feu pour moi. C'est la responsabilité des hommes. Quand je serai grand, moi aussi je veillerai sur le feu pour prendre soin de ma femme et de mes enfants. Mais, pour le moment, je suis encore un petit garçon. Mon corps et mon cœur sont bien au chaud dans les bras de mon papa qui me parle encore un peu. Il me conduit en douceur jusqu'à l'entrée du monde des rêves.

«*Amik*, le castor, est un grand professeur, murmure-t-il. Si tu détruis son barrage ou sa maison, il reconstruira tout, la nuit même. Tu n'auras jamais raison de sa patience. Jamais il ne laissera l'humain détruire la médecine destinée à nourrir et à protéger ses petits. Peu importe l'obstacle qui se présente dans ta vie, fais comme lui, ne baisse jamais les bras toi non plus. Garde toujours en mémoire l'enseignement du castor, mon fils. Ne l'oublie jamais. »

À l'époque de mon enfance, c'est-à-dire dans les années 1950, le Québec était mené d'une main de fer par le premier ministre Maurice Duplessis. Plusieurs historiens ont appelé cette période la « Grande Noirceur », en raison du sentiment de peur qui régnait au sein du peuple québécois et des nations autochtones habitant le même territoire. Les droits civiques étaient souvent réprimés par ce premier ministre au tempérament bouillant. Sous son règne, les communautés religieuses avaient pleins pouvoirs en ce qui avait trait aux écoles, aux universités et aux hôpitaux. De plus, le clergé et les autorités agissaient de concert.

Tous, Blancs ou Autochtones, craignaient de se faire réprimander par le curé s'ils ne marchaient pas dans le droit chemin. Ceux qui vivaient dans les grandes villes bénéficiaient peut-être d'un peu plus de liberté, mais, dans les petits milieux, l'influence des religieux pouvait être terrible, surtout si l'on tombait sur une personne autoritaire ou franchement tordue. Chez nous, cette influence était double : les Blancs s'employaient à transformer nos croyances religieuses, mais aussi à nous convertir à leur mode de vie.

---

19. Voir illustration du campement de survie. Le réflecteur derrière le feu peut être construit de nos mains, mais parfois, nous montons notre feu juste à côté des racines d'un chablis, c'est-à-dire un arbre déraciné par le vent, la foudre ou la neige.

Au début, ces exhortations à modifier nos coutumes étaient relativement inoffensives. Je me souviens par exemple du *corned-beef* qu'on nous encourageait à manger. Les missionnaires espéraient nous démontrer que, grâce aux conserves, nous n'avions plus besoin de partir aussi souvent en forêt pour trouver de quoi nous nourrir. Mais ce bœuf avait tellement mauvais goût ! Nous nous demandions sincèrement comment les 8emitekoci pouvaient préférer cette drôle de substance enfermée dans une boîte en métal à des viandes ou à des poissons sains et fumés de façon naturelle ! Les commerçants de la Compagnie de la Baie d'Hudson nous convainquaient pour leur part d'acheter leurs chaloupes à moteur d'occasion. « Comme ça, affirmaient-ils fièrement, vous irez chasser et rentrerez chez vous le soir même ! » Ils ignoraient toutefois que le bruit des moteurs éloigne le gibier, que les fuites d'essence souillent nos rivières, que les portages sont beaucoup plus pénibles avec le lourd moteur à transporter — sans compter toutes les boîtes de *corned-beef* dans nos sacs à dos ! Les Anicinapek aimaient bien sûr sillonner les rivières à grande vitesse, mais ils n'ont pas tous compris à quel point l'accélération du rythme de vie allait bientôt empoisonner non seulement la Terre-Maman, mais aussi l'esprit des humains.

Bref, la plupart du temps en toute bonne foi, les Blancs nous ont imposé leur style de vie et graduellement nous l'avons intégré. Pour eux, chaque conversion au christianisme et à la modernité était un pas de plus vers une assimilation tout à fait justifiée à leurs yeux. De plus, les autorités toléraient très mal le nomadisme de ces Sauvages qui vivaient comme bon leur semblait, au fin fond des bois. Mais elles n'aimaient pas non plus nous voir en société. En ce qui a trait au gouvernement fédéral, la Loi sur les Indiens battait son plein, assortie de différents règlements à saveur locale : interdiction pour nous d'entrer dans tel restaurant, de prendre un autobus ou un taxi, de louer une chambre à tel hôtel. Nous devions trouver le moyen d'exister au cœur de ces contradictions : respecter les lois et les règlements, et nous soumettre au pouvoir de l'Église — étroitement lié au pouvoir policier — tout en tentant de survivre par les moyens que nous connaissions et que nous aimions !

Cela dit, plusieurs prêtres avaient appris les langues autochtones et appréciaient notre façon de vivre. Ils prêchaient par l'exemple et avaient su transmettre les valeurs chrétiennes à nos parents. Puisque c'était dans l'air du temps, notre peuple allait à l'église lors des rassemblements d'été, là où les prêtres les attendaient chaque année. À force de voir toutes ces images du diable et de l'enfer, les Anicinapek avaient fini par craindre ces influences négatives et cherchaient à s'en protéger. Ce sont surtout nos mères, très pieuses, qui avaient appris à aimer le Père, le Fils et le Saint-Esprit, et à les prier à la façon des Blancs. Plusieurs hommes, quant à eux, maintenaient nos cérémonies, dès qu'ils se retrouvaient en forêt. Même si elle adorait réciter le chapelet et assister à la messe, ma mère respectait tout à fait nos croyances ancestrales et y participait. Mon père, lui, n'éprouvait pas de grandes difficultés à suivre les commandements de l'Église tout en maintenant fortement nos traditions. Les enjeux étaient sérieux, cependant. Hommes et femmes-médecine étaient perçus comme des sorciers et quiconque se faisait surprendre à pratiquer nos rituels risquait d'être arrêté. C'est d'ailleurs ce qui arriva à mon père. Dès que quelqu'un le dénonçait, parce qu'il avait célébré une cérémonie selon les rites ancestraux, les autorités menaçaient de le jeter en prison, sans autre forme de procès[20]. Je me rappelle l'avoir même accompagné derrière les barreaux lorsque j'étais jeune, car on nous avait surpris avec nos objets sacrés dans la région de Low Bush.

C'est dans ce contexte de conformisme obligatoire et de peur omniprésente que j'ai reçu ma première plume d'aigle. Cela remonte à plusieurs années, mais je me rappelle encore les détails de cette journée marquante. «*Pican!* avait dit mon père. Viens! Nous allons visiter les anciens de Low Bush!» Chaque fois que papa m'invitait à partir à l'aventure avec lui, je ne me faisais pas prier. Low Bush était situé du côté ontarien du lac Abitibi. Mon père aimait y fréquenter ses amis ocip8es, quand il en avait l'occasion. Cette fois, nous étions partis en chaloupe à moteur en compagnie d'autres anciens de notre communauté, dont *Kitci-Papa* (mon grand-père Jim), *Kitci* Hendry, Tcomitc Black et les membres de la famille Nadeau. Nous avons tra-

---

20. En 1884, le gouvernement canadien renforça l'«Acte des Sauvages» de manière à interdire les potlatchs, ces grands festins cérémoniels qui permettaient de maintenir les traditions et la cohésion de nos peuples. En vertu de cette loi, danses et cérémonies étaient interdites, et les objets sacrés, confisqués ou détruits.

versé le lac et, une fois arrivés à Low Bush, plusieurs anciens nous ont accueillis dans la bonne humeur. Nous avons discuté de choses et d'autres, puis ils nous ont invités à prendre place autour du feu sacré.

C'était en fin d'après-midi, en plein cœur de l'été. L'air était bon, les femmes préparaient le souper non loin de nous. Je me souviens que, autour de notre cercle, on avait planté des poteaux aux quatre points cardinaux. Des plumes et des crânes d'animaux protecteurs étaient suspendus aux arbres. Tout à coup, une plume d'aigle s'est mise à circuler de main en main.

« La plume d'aigle, expliquait un ancien, est une récompense pour celui qui la reçoit. L'aigle nous enseigne la force du cercle. Il monte très haut dans le ciel, toujours en décrivant des cercles. Il est libre, mais il doit constamment trouver son équilibre en s'appuyant sur le vent. Son regard est perçant. Il voit clair, tout en ayant du recul. Comme il s'élève au plus haut dans le ciel, il agit comme messager entre nous et le Créateur. »

À ma grande surprise, l'ancien m'a ensuite invité à m'approcher de lui.

« Kapiteotak, cette plume d'aigle est pour toi. Tu devras toujours la protéger. Elle t'accompagnera dans toutes les cérémonies. Quand tu prendras la parole dans le cercle des anciens, il faudra la tenir bien droit, en signe de respect pour l'aigle et pour ceux qui t'écoutent. Elle t'inspirera à parler avec force, clarté et équilibre. Il faudra aussi que tu la caches. Pour le moment, cette plume sera un secret entre toi et nous. Un jour, tu pourras l'exhiber sans crainte en public. »

Même si je n'avais que sept ans, je comprenais très bien qu'il s'agissait d'un signe important d'accueil et de reconnaissance de la part des anciens. Malheureusement, je me souviens surtout de la peur qui s'est alors emparée de moi. Pourquoi moi ? me demandais-je. Pourquoi m'exposer à tous ces dangers ? J'aimais beaucoup me sentir entouré et protégé par les aînés, et j'adorais recevoir leurs enseignements, mais, parfois, j'aurais bien aimé pouvoir jouer avec insouciance, comme les autres enfants, sans être investi de tant de responsabilités.

Pendant longtemps — très longtemps ! —, j'ai été déchiré par l'obligation de pratiquer nos croyances dans le plus grand secret. Nous avons voyagé, déménagé, vécu sous le regard des prêtres, des autorités et des Anicinapek entièrement convertis au catholicisme. J'ai même dû cacher ma plume à la plupart de mes proches, mais, malgré tout, elle est restée intacte. Ma mère l'a toujours protégée sous son lit ou dans un de ses nombreux coffrets en bois. Quand j'ai quitté le nid familial, je l'ai prise avec moi, mais c'est seulement à l'âge de 38 ans que j'ai osé la montrer en public pour la première fois. C'était en 1985, à l'occasion d'une assemblée.

À l'époque où j'ai reçu ma première plume d'aigle, j'étais un petit garçon à part, et cela m'a pris bien du temps avant de comprendre que ma condition n'était pas une malédiction.

# Quatrième Feu

## La Bible et le territoire

Le Quatrième Feu fut révélé au peuple par deux prophètes, présentés comme Un. Ils ont parlé de la venue de la race à la peau blanche.

L'un des prophètes a dit :

> « Vous connaîtrez l'avenir de notre peuple par le visage que la race à la peau blanche affichera. Si c'est le visage d'un frère, alors surviendra une ère de merveilleux changements pour plusieurs générations. Ces hommes apporteront de nouvelles idées et de nouveaux objets que vous pourrez intégrer à vos connaissances. Ainsi, deux peuples s'uniront pour engendrer une puissante nation. Deux autres peuples se joindront à eux et ces quatre peuples formeront la plus puissante de toutes les nations. Vous reconnaîtrez le visage de la fraternité si la race à la peau blanche vient à vous sans armes, si elle offre ses connaissances et une poignée de main. »

L'autre prophète a dit :

> « Méfiez-vous si la race à la peau blanche a le visage de la mort. Mais prenez garde, parce que le visage de la fraternité et celui

de la mort se ressemblent beaucoup. Si ces hommes portent des armes, méfiez-vous. S'ils viennent souffrants, ils pourraient vous tromper. Leur cœur pourrait être rempli de convoitise pour les richesses de cette terre. S'ils sont véritablement vos frères, laissez-les vous le prouver. Ne les acceptez pas en toute confiance. Vous saurez que leur visage est celui de la mort si les rivières deviennent empoisonnées et les poissons, impropres à la consommation. Vous les reconnaîtrez par ces multiples signes. »

Le Prix Nobel de la paix, le Sud-Africain M<sup>gr</sup> Desmond Tutu, a un jour déclaré : «Quand les missionnaires sont venus en Afrique, ils avaient la Bible et nous, le territoire. Ils ont dit "Prions" et nous avons fermé les yeux. Lorsque nous les avons rouverts, nous avions la Bible et eux, le territoire. »

Étrange comme cette histoire ressemble à la nôtre... Du temps de mon enfance, le travail d'évangélisation des missionnaires catholiques suivait son cours chez nos peuples depuis plusieurs centaines d'années. Lentement mais sûrement, les Anicinapek en étaient venus à croire qu'il valait peut-être mieux adopter le dieu des Blancs et prier Jésus. Après toutes les misères endurées par les nôtres, peut-être ce dieu à barbe blanche allait-il éliminer nos souffrances, se disaient nos ancêtres.

Il y a près de cinq siècles, en voyageant sur leurs immenses bateaux pendant des mois, les hommes au visage pâle étaient arrivés chez nous en piètre état. Voyager ainsi, sans eau ni nourriture fraîche, sans pouvoir se laver, au seul contact d'autres hommes et pour si longtemps, était pour nous inconcevable. Pas étonnant que des bestioles et des maladies de toutes sortes — rats, poux, maladies vénériennes, scorbut, etc. — aient débarqué chez nous en leur compagnie !

Leur esprit était également contaminé : ces hommes vivaient dans la peur et la convoitise ; ils semblaient avoir constamment besoin de se saouler avec leur «eau-de-vie» dans l'espoir de penser à autre chose. Quand ils dégrisaient, ils regrettaient leurs erreurs et constataient leur misère intérieure. Alors ils se saoulaient non plus d'alcool, mais de prières toutes construites d'avance, qu'ils répétaient sans cesse, jusqu'à ce que leur malaise s'engourdisse un peu.

Au début, nous avons accueilli et soigné ces hommes étranges. Nous avons pêché et chassé pour eux. Nous les avons vêtus et leur avons offert du bois pour se réchauffer. Nous leur avons montré nos remèdes et avons partagé la pipe sacrée en leur compagnie. Certains ont aimé notre vie et compris notre vision, mais d'autres, entêtés et assoiffés de puissance, ont persisté dans leur opinion. Si bien que, un beau jour, les nôtres ont vu leur corps et leur esprit contaminés. Auparavant, nos aînés vivaient longtemps et en bonne santé. L'arrivée des Européens sur notre continent, il faut bien le dire, a semé chez nous la maladie, la destruction et la mort. «*Iak8a ockiakosi8in!* Gare aux nouvelles maladies!», disaient nos anciens en parlant de tous les mauvais esprits que transportait le peuple blanc dans ses bagages. Les plus sages et les plus perspicaces parmi les nôtres voyaient clair. Ils ont compris qu'il fallait limiter nos contacts avec ces énergumènes qui ne croyaient qu'à leurs visées expansionnistes. Ils savaient qu'il fallait protéger l'âme de leurs enfants contre les influences néfastes.

Pendant de nombreuses générations, mes ancêtres ont réussi à mener leur vie nomade dans une paix relative, loin du monde agité des Blancs. Seuls s'infiltraient les ravages de l'alcool jusqu'aux confins de nos forêts, car si les hommes à la peau blanche n'étaient pas encore véritablement intéressés par nos terres éloignées, leurs inventions remontaient le cours de nos rivières et affectaient inexorablement les familles les plus fragiles. Le magnifique équilibre que nos ancêtres nous avaient appris à respecter et à admirer était rompu.

Le coup de grâce nous fut donné le jour où les gouvernements décidèrent de ne plus tolérer le nomadisme d'une partie de la population canadienne. Le temps était venu de sédentariser et de civiliser les Indiens et les Inuits par tous les moyens, en édictant d'abord l'Acte des Sauvages en 1876. Cette loi allait promulguer une série de mesures de plus en plus contraignantes visant à assimiler nos peuples.

En ce qui concerne les Inuits, les autorités des années 1950 à 1970 trouvèrent un moyen ingénieux — mais cruel — de les persuader une fois pour toutes de s'installer dans les villages créés pour eux. On envoya des officiers de la Gendarmerie royale du Canada abattre froidement leurs amis les chiens de traîneau à coups de fusil. Par conséquent, nos frères et sœurs inuits ont perdu subitement les moyens de survivre grâce à la pêche et à la chasse dans la toundra. La GRC nie qu'elle a commis ce massacre pour mettre fin à la vie nomade des Inuits, mais les témoignages de mes frères et sœurs du Nord se recoupent étrangement. D'un bout à l'autre du pays, tous les enfants du Grand Nord de cette époque gardent en mémoire le terrible souvenir des hommes rentrant en larmes à la maison et annonçant l'effroyable nouvelle aux femmes: «Les policiers ont tué nos chiens. Qu'allons-nous devenir ? » Et les mères de s'écrier dans toutes les communautés : « Comment allons-nous nourrir nos enfants ? Nos maris ne parlent pas la langue des Blancs. Ils savent encore moins lire ou écrire. Ils ne connaissent aucun métier à part celui de chasseur. Ils n'ont pas appris à manier les outils des Blancs pour entretenir les maisons que le gouvernement nous oblige à habiter. Ils ne savent que construire des igloos ou monter les tentes pour l'été. Et notre vie libre au grand air nous rendait si heureux ! »

En tant que chef, mon père a pris part à de nombreuses rencontres et négociations avec les gouvernements de son époque. Ce sont les leaders de sa génération qui se sont vu imposer les traités les plus contraignants. « Nous avons toujours accueilli les représentants des Blancs dans nos tentes, disait-il souvent, mais chaque fois qu'ils en ressortaient, nous avions perdu d'autres territoires. »

Ces négociations, dans lesquelles nos peuples n'avaient plus aucun pouvoir, ont fini par nous arracher à la forêt. En ce qui concerne notre communauté, celle des Mami8innis, le gouvernement nous avait promis des maisons si nous abandonnions sur-le-champ notre vie nomade. Nous avons accepté. Nous avons renoncé à notre riche existence au cœur de la nature. Le problème, c'est que les maisons promises ont été construites dix ans plus tard ! Pendant ces années d'attente et d'impuissance, on nous a obligés à nous installer dans des campements en périphérie d'Amos. Or, cela dérangeait constamment les 8emitekoci de la ville, et à maintes reprises nous avons été déplacés. La première fois, nos familles ont dû s'installer au bord de la rivière Harricana, laquelle servait au flottage du bois. En amont, les compagnies forestières abattaient les arbres en grande quantité et l'eau était extrêmement polluée. De plus, il était devenu pratiquement impossible d'y circuler en canot. Finalement, nous avons dû quitter aussi cet endroit pour nous établir sur l'autre rive et permettre la construction d'un nouveau moulin à scie.

Un peu plus tard, on nous a repoussés dans un secteur que nous appelions Kaicpakoiak, « les hauts pins ». Là-bas, l'eau polluée par les compagnies forestières avait contaminé les poissons dont nous avions besoin pour notre survie, ce qui nous a causé de graves problèmes d'empoisonnement au mercure. Plusieurs dizaines de personnes en sont mortes parmi notre peuple.

Ces années-là, à Kaicpakoiak, mon père fut embauché par le gouvernement pour participer à la construction de la nouvelle route 117 qui relierait Mont-Laurier à Senneterre. Une fois le projet achevé, mon

**Mon père, Kitci T8amy, le grand « Okima ».** Il fut mon père, mon guide et mon ami fidèle tout au long de sa vie. Je lui dois tout. Ce portrait le montre avec sa coiffe traditionnelle fabriquée avec des plumes d'aigle. Cela signifie qu'il est non seulement reconnu comme chef héréditaire, mais aussi comme un aîné. J'ai reçu ma propre coiffe des mains de mon père il y a très longtemps. Ses plumes d'oie blanche devront maintenant être remplacées par des plumes d'aigle, car, à mon tour, je viens d'être admis dans le cercle des anciens. (Vers 1965)

**Mon grand-père spirituel, William Commanda.** Il nous présente ici l'une des très anciennes ceintures wampum sous sa protection. Cette ceinture représente les trois personnages qui devaient apprendre à se respecter, à partir de l'époque de la colonisation : le missionnaire, le commerçant et l'Anicinape. (2006)

Une photo qui a fait parler beaucoup d'historiens et d'anthropologues, mais jamais comme elle l'aurait mérité... En réalité, cette femme-médecine mami8inni s'appelait Oteimin Kokom. Mon père et mon grand-père spirituel William Commanda l'ont bien connue. Elle est née sans jambes, et c'est son mari qui la transportait partout sur son dos. Extrêmement puissante et respectée dans sa médecine, elle ne fut jamais freinée par son handicap. Bien au contraire[2]! (Vers 1920)

2. Aujourd'hui, Marie-Josée, l'auteure de ce livre, porte le nom spirituel d'Oteimin Kokom, en l'honneur de cette grande femme.

Magasin général de la Compagnie de la Baie d'Hudson, tel qu'on en trouvait en Abitibi et à la Baie James, à l'époque de mes parents et grands-parents. Aucun «Sauvage» n'y était admis, à moins d'avoir des fourrures entre les mains afin de les échanger. (Vers 1910)

**Lac Abitibi.** On peut voir en avant-plan quelques Mami8innis et leurs superbes canots d'écorce, dont un grand rabaska de la Compagnie de la Baie d'Hudson, à droite. Au loin, on voit très bien Matcite8eia, que les Blancs appelaient la Pointe-aux-Sauvages, où se dressent les bâtiments de la Compagnie de la Baie

d'Hudson, l'église érigée par les Oblats (la toute première église en Abitibi)
et le cimetière, à droite. Selon ce que m'ont raconté les aînés de ma
communauté, les campements des Mami8innis se trouvaient de l'autre
côté de la pointe. (1911)

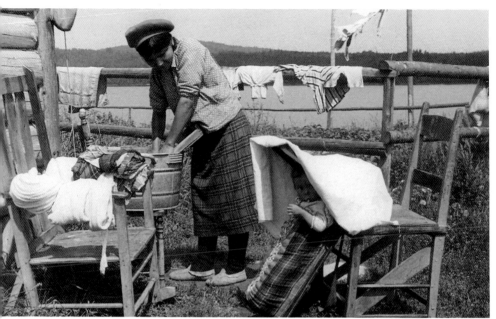

**J'aurais pu jurer que cette femme était ma mère, tant elle lui ressemble.** À cette époque, les femmes de ma nation portaient toutes des jupes fabriquées avec les tissus écossais vendus par la Compagnie de la Baie d'Hudson. Les femmes travaillaient à l'extérieur, en gardant toujours un œil sur les bébés dans leur *tikinakan*. Comme tous les autres bébés de mon âge, mon éducation par l'observation des parents a commencé dès mes premiers mois dans le porte-bébé. (Vers 1945)

**Construction d'un** *capat8an.* Cette habitation traditionnelle algonquienne était surtout utilisée en hiver. Une fois la charpente érigée, on la recouvrait de peaux de gros gibier et, plus récemment, de toiles. (Vers 1942)

**Familles attikameks** ramenant les missionnaires en canot jusqu'à leur lieu de rassemblement estival. Nos familles algonquiennes allaient à la rencontre des religieux de cette manière tous les printemps, afin de procéder aux baptêmes, aux mariages et aux confessions annuelles. (Vers 1913)

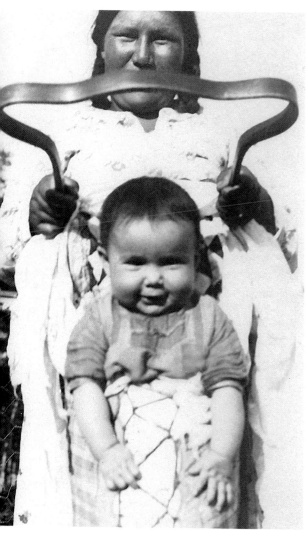

**Le *tikinakan*.** Cette maman nous montre avec fierté son bébé emmailloté dans le porte-bébé typique des nations amérindiennes. Les familles algonquiennes et iroquoiennes utilisaient cet objet pour transporter les bébés en toute sécurité. On voit bien l'arceau de protection qui permet notamment au *tikinakan* de flotter du bon côté, en cas d'accident nautique. Cette bande en bois protégerait aussi l'enfant si le *tikinakan* venait à tomber.

**Grand-maman Betsy,** la mère de mon père. Cette photo a été prise à Pikogan, où grand-maman a dû s'installer elle aussi. Elle disait souvent qu'elle était triste de vivre dans la réserve. Autrefois, elle marchait dans les sentiers en forêt, entourée des arbres et des rivières. «Maintenant, disait-elle, mes mocassins ne touchent que l'asphalte.» (Vers 1970)

**On ne pouvait pas trouver meilleure photo de mon père !** Assis devant son feu sacré dans la forêt (à noter la présence du réflecteur derrière le feu), il fait griller un bon «sakapon», un jeune castor du printemps. L'arrivée des sakapon marquait le changement des saisons et était soulignée par de grandes fêtes. Pendant la cuisson, papa méditait, priait, remerciait la vie et nous transmettait ses enseignements. (Vers 1990)

**La survie...** Après la saison de chasse et de trappe, le temps de la pêche est arrivé. Ce Comis installera son filet dans un lac ou une rivière. Le filet sera tendu à l'aide de piquets et de flotteurs en bois de cèdre. Le lendemain matin, ce sera l'abondance, si le Créateur le veut bien. Le Comis pourra ainsi nourrir trois ou quatre familles à la fois. Car pour nous, toutes ces tâches se font dans l'esprit du partage, sans aucun gaspillage. (Vers 1942)

**Ma famille, dans l'un de nos campements d'été.** On voit mon père à gauche ; je suis dans les bras de maman, et à l'extrémité droite se trouve ma grand-mère maternelle Sally. (1947)

**Rassemblement familial pour la Noël dans notre maison de la 10ᵉ Avenue à Amos.** Comme les autres familles anicinapek, nous avons aussi graduellement adopté une partie du mode de vie des Blancs. On me voit debout, à l'extrémité gauche, droit comme un sapin de Noël ! (Vers 1960)

Le pensionnat indien d'Amos (Saint-Marc-de-Figuery), vu de l'extérieur. Aujourd'hui, il ne reste plus grand-chose de ce bâtiment. Durant les années 1990, j'ai réuni environ 300 survivants du pensionnat en ce lieu. Au cours de ce rassemblement de quatre jours, nous avons obtenu la permission de commencer à démolir la bâtisse à mains nues, comme un grand geste de guérison collective.

Le hockey fut mon moyen d'évasion favori entre tous, durant mes dernières années au pensionnat. Je suis le troisième à partir de la gauche, dans la rangée du milieu, arborant ma coupe de cheveux des Beatles! (Vers 1960)

**Pensionnat indien d'Amos (Saint-Marc-de-Fiquery).** Cette classe, où je reconnais certains visages, est composée d'enfants ayant fréquenté le pensionnat à la même époque que moi. Nous devions tous porter les vêtements fournis par les missionnaires et garder les cheveux courts. C'est dans ces classes que nous avons été forcés d'intégrer la culture blanche, en vitesse et à tout prix. (Vers 1960)

**Moi à 12 ou 13 ans.** Cette photo prise par les missionnaires au pensionnat m'a marqué. J'ai longtemps cru les missionnaires et mes camarades de classe, qui m'assuraient que les drôles de reflets sur mon front signalaient l'arrivée prochaine de mes cornes de diable. (1958)

PROVINCE DE QUÉBEC
─────
MINISTÈRE DES MINES ET DES PÊCHERIES
─────
SERVICE DE LA CHASSE ET DE LA PÊCHE

Ville-Marie, 30 avril 1941.

Monsieur Hervé Larivière,
Agent des Indiens,
Senneterre.

Cher monsieur,

En traversant la route Senneterre Mont-Laurier dimanche dernier, j'ai constaté que plusieurs familles indiennes étaient stationnés le long de la route et particulièrement dans le voisinage de la Rivière Ottawa.

Le 6 mars dernier Mr. Harold W. McGill, Directeur de la Branche des Affaires Indiennes d'Ottawa acceptait les suggestions de notre Département proscrivant le campement de familles indiennes en dedans d'une limite de un mille de la route. Je ne doute pas que dans le moment les indiens parcourent les endroits propices pour faire la chasse au rat musqué, mais je crois qu'il serait bon que vous les avertissiez qu'une fois la chasse terminée, ils devront se retirer plus à l'intérieur, afin que l'entente soit respectée et qu'aucune famille ne soit sur le bord de la route lorsque le touriste ou le public voyageur commenceront à circuler d'une façon plus dense.

Je ne doute pas que vous nous accorderez votre coopération dans cette affaire, comme vous nous l'avez mainte fois manifesté depuis le début de notre organisation.

Sincèrement à vous,

B. Guérin
Surintendent.

─────────────────

P.S. Copie à Mr. L.A. Richard.

**La fameuse lettre du gouvernement qui fut remise à mon père, après qu'il eut lui-même participé à la construction de la nouvelle route 117. Une fois de plus, nos familles étaient devenues indésirables. Elles devaient plier bagages, puis trouver un autre endroit où s'installer, et où survivre sans déranger les Blancs. Mais où aller? (1941)**

**Départ vers Montréal pour la signature des documents officiels menant à la création de la réserve algonquienne de Pikogan.** Mon père apparaît au centre de la photo. À gauche : Philippe Ogish. À droite : mon oncle Moïse Kistabish. Dans l'escalier de l'autobus : M. Louis-Henri Houdet. (1956)

**Moi devant une tente de prospecteur, à l'âge de 18 ou 19 ans.** J'avais été engagé par une compagnie de prospection minière et j'adorais ce genre de boulot me permettant d'être « chez moi », c'est-à-dire dans la forêt. (1965)

**Poignée de main avec le secrétaire général des Nations Unies, Ban Ki-moon, à New York.** De nos jours, mon travail me conduit un peu partout afin de transmettre le message de paix anicinape. J'aime beaucoup cette photo où je tiens dans ma main une plume d'aigle blanche et ma pipe sacrée, deux symboles de paix et de fraternité très puissants pour nos peuples. (2010)

**Rencontre avec le maire de Montréal, Gérald Tremblay.** Depuis plusieurs années, je participe aux activités organisées par le Cercle de Paix de Montréal, dont je suis aussi membre. Je remets ici au maire les cendres du bison blanc qui est né chez moi en 2006. Il s'agit d'un événement très prophétique pour les Amérindiens et que nous relions aux enseignements de la prophétie des Sept Feux. (2010)

**Rencontre avec Sa Sainteté le 14ᵉ dalaï-lama à Montréal, en 2009.** Le dalaï-lama, Comis William Commanda et moi. Chaque fois que nous rencontrons nos frères et sœurs tibétains, nous ressentons une réelle connexion entre nos deux peuples. Cette rencontre fut pour moi une autre merveilleuse occasion de construire un pont pour la paix entre toutes les nations. (2009)

père reçut la visite de l'agent des Indiens, Hervé Larivière. Brandissant une lettre du gouvernement, il venait lui signifier que les Sauvages devaient quitter cette zone, parce que notre présence allait désormais déranger les touristes désireux de visiter l'Abitibi[21].

C'est alors que les autorités religieuses ont accepté de nous accueillir sur les terrains de l'évêché d'Amos. Je me souviens encore de ce nouveau campement «provisoire» et des religieuses qui nous donnaient parfois à manger, car nous avions beaucoup de mal à assurer notre subsistance. Perchées sur un haut balcon, elles faisaient descendre la nourriture dans un seau attaché à une corde qui passait dans la jante d'une poulie.

Peu après, nous avons été expulsés encore une fois, pour permettre l'érection d'un couvent de sœurs cloîtrées. Certaines familles sont reparties de l'autre côté de la rivière, d'autres ont pu louer des maisons un peu délabrées dans la ville. Mon père fut parmi les premiers à réussir cet exploit, car très peu de Blancs nous acceptaient comme locataires. Il faut dire que les concepts de «loyer» et de «factures» nous étaient complètement étrangers. En fait, cela nous paraissait inconcevable car, selon notre philosophie, tous devraient avoir le droit de se loger, de se nourrir et de se vêtir, sans exception. Tous devraient avoir le droit de «se donner tout» librement, en fonction des richesses de la Terre-Mère et dans le respect de ce qu'elle peut nous donner. Comment les humains pouvaient-ils «posséder» la Terre? C'était plutôt nous qui lui appartenions!

Ce n'est qu'en 1961 que prit fin notre errance. Fatigué de devoir toujours négocier pour qu'on permette aux familles mami8innis de camper quelque part, mon père accepta de signer une entente avec les gouvernements fédéral de Diefenbaker et provincial de Duplessis pour l'installation définitive des membres de notre communauté. Les uns après les autres, d'un bout à l'autre du pays, des milliers de leaders autochtones comme mon père en vinrent aux mêmes conclusions. Voilà comment furent créées les réserves amérindiennes. La nôtre, baptisée Pikogan[22], fut établie sur une terre de deux kilomètres carrés, au nord d'Amos. Il s'agissait en fait d'une ancienne ferme achetée par le gouvernement et donnée à nos familles. Mon père fut le premier à s'y installer. Le gouvernement y érigea ensuite d'autres maisons et les

---

21. Voir cette lettre dans le cahier photos.
22. Pikogan signifie «village de tipis». Au début, notre réserve s'appelait tout simplement Abitibi8inni.

familles commencèrent graduellement à y emménager. Dès la création des réserves, les Indiens avaient l'obligation de s'y établir, mais peu après, l'interdiction de vivre en dehors des réserves fut levée. En ce qui me concerne, j'ai habité à Pikogan durant les dernières années de mon adolescence, mais, dès que j'ai pu, j'en suis sorti. Pour moi, la liberté se trouvait hors de la réserve, même si je devais mettre les bouchées doubles pour obtenir une place digne de ce nom au sein des sociétés québécoise et canadienne.

❖

Avant 1961, dans les années précédant la fondation de notre réserve, la situation était devenue pénible et complexe pour nous qui devions attendre la permission d'habiter enfin quelque part. On ne nous permettait plus de vivre dans la forêt comme autrefois, et nous étions indésirables partout ailleurs. En ville, les contradictions nous affligeaient : nous devions devenir sédentaires, mais nous n'avions pas le droit de fréquenter les lieux publics, par exemple les marchés d'alimentation, les hôtels et les restaurants ; et l'on nous interdisait d'utiliser les transports en commun — autobus, taxi, train. Lorsque les 8emitekoci avaient besoin de notre main-d'œuvre, ils nous réservaient des wagons et faisaient des arrêts spéciaux le long des chemins de fer pour transporter les ouvriers loin du regard des populations blanches.

Je devais avoir six ou sept ans lorsque notre famille a vécu à Amos pour la première fois. Cela signifiait qu'il fallait nous adapter aux constructions carrées des Blancs. Pour nous qui privilégions la force du cercle en toute chose, cela fut difficile. La première fois que j'ai pénétré dans une maison de la ville, je me suis senti opprimé. Je n'arrêtais pas de surveiller le plafond, craignant qu'il ne s'effondre. « Comment cette chose peut-elle tenir toute seule au-dessus de notre tête ? me demandais-je. Et comment fait-on pour ne pas avoir froid en hiver ? On ne voit de feu nulle part dans ces *miki8aman*[23] ! » Les anciens nous avaient toujours enseigné que dans un tipi l'esprit est à son aise. Grâce à sa forme circulaire, l'énergie de vie peut circuler sans obstacle. (D'ailleurs, dans le mot « circuler », qui appartient à votre langue, ne retrouve-t-on pas la racine « cercle » ?) Dans les *8emitekoci miki8aman*, avec tous ces murs bien rigides et toutes ces encoignures, nous avions l'impression que l'esprit se cognait sans cesse de tous les côtés !

---

23. « Maisons » en langue anicinape.

Au début, nous étions si mal dans notre boîte carrée que mon père avait érigé une tente dans la cour arrière. La plupart de mes frères et sœurs, comme moi, refusaient de dormir dans la maison. Nous avions besoin d'être au contact de la Terre-Maman et de respirer l'air frais de la nuit. Nous n'étions pas les seuls. À peu près tous les Anicinapek qui venaient de s'installer en ville avaient fait la même chose. À l'approche de la saison froide, papa dut cependant nous convaincre de dormir à l'intérieur, car nous n'avions rien pour nous réchauffer dans la tente.

Mes premiers contacts avec les 8emitekoci se révélèrent plutôt difficiles. Comme pour tous les enfants de la terre qui s'adonnent spontanément aux mêmes jeux, la barrière de la langue ne fut pas un obstacle lorsque je me mêlai pour la première fois à un groupe de petits Blancs. Or, le racisme était si persistant à cette époque que des garçons un peu plus âgés que moi eurent la brillante idée de m'entraîner dans les rues de la ville et de m'y abandonner. Ils s'enfuirent en riant aux éclats, juste pour jouer un vilain tour à ce petit Sauvage fraîchement débarqué en ville. Un fils de la forêt comme moi saura toujours se repérer dans la nature. Par contre, dans les méandres des rues d'une ville inconnue, j'étais complètement désorienté. (J'éprouve d'ailleurs le même problème encore de nos jours dans toutes les grandes villes, même celles que je visite souvent. Déformation professionnelle !)

Je me mis à errer pendant de longues heures, espérant retrouver la maison, mais je n'avais aucun point de repère. Instinctivement, je rejoignis la rivière qui coule en plein cœur de la ville, sans savoir que je m'éloignais davantage de notre domicile. Puis le soir tomba et il se mit à pleuvoir. Je me réfugiai sous la véranda d'une maison toute blanche et je restai là un moment, grelottant. Heureusement, quelqu'un finit par m'apercevoir entre les marches de l'escalier. Bientôt, plusieurs gentilles dames sortirent de la maison et me parlèrent dans la langue des Blancs. J'avais peur et je me terrais dans mon trou. L'une d'elles eut l'idée de me tendre un verre de lait et des biscuits. Comme j'avais terriblement faim, j'acceptai d'entrer dans leur *miki8am*. Ce fut ma toute première dégustation de lait de vache et de biscuits au chocolat. Et, ça, franchement, c'était délicieux !

En fait, le hasard m'avait conduit sous la véranda d'une maison de religieuses, lesquelles me confièrent à la police qui ne tarda pas à retrouver mon père, l'un des rares Anicinapek à vivre en ville à cette époque. Les retrouvailles furent émouvantes. À mon retour au bercail, tout le monde se rua sur moi pour m'embrasser et pour me demander de raconter mes dernières péripéties. Ma mère et mes sœurs me câlinaient sans cesse et m'offraient toutes sortes de bonnes choses à manger. Cette nuit-là, j'eus même l'honneur de dormir dans un lit (ce n'est pas tout le monde qui en avait un dans la maisonnée), bien au chaud sous les couvertures !

C'est ainsi que nous avons commencé à apprendre la vie « moderne ». Nous devions vite comprendre les us et coutumes d'un peuple qui nous rejetait, mais qu'il fallait imiter de notre mieux, car notre survie en dépendait. Certains 8emitekoci changeaient de trottoir lorsqu'ils étaient sur le point de nous croiser. D'autres, par contre, savaient se montrer humains et affables.

Un jour, le père Deschênes, un prêtre qui parlait notre langue et qui appréciait grandement mon père et ma mère, nous invita à découvrir la grande cathédrale d'Amos. Nous acceptâmes son invitation avec curiosité. Deux de mes sœurs, mes parents et moi montâmes à bord de sa camionnette. Une fois à l'intérieur de l'imposante église, nous restâmes interdits. Nous n'avions jamais rien vu de tel. Toutes ces pierres taillées posées les unes sur les autres ! Tout cet or, ces sculptures, ces tableaux ! Moi qui me demandais déjà comment le plafond de notre taudis pouvait tenir en place, j'étais sans voix sous l'immense coupole couronnant cette gigantesque maison des prières ! Notre ami le père Deschênes nous fit nous asseoir à côté de la porte, sur les bancs de la dernière rangée, puis il rejoignit dans le chœur celui qui disait la messe. Tout à coup, une femme s'approcha de nous en nous injuriant. Nous ne comprenions pas sa langue, mais elle était manifestement furieuse. Elle invectiva ma mère et l'agrippa par le manteau pour la tirer de sa place. Incapable de lui expliquer en français que c'était le prêtre qui nous avait placés là, ma mère tentait de se défaire des griffes de la femme qui, soudain, lui cracha dessus.

Il faut savoir que, à cette époque, les catholiques du Québec pouvaient « acheter » leur banc d'église. C'était une autre idée du clergé qui cherchait des moyens de couvrir les dépenses faramineuses de l'Église. On nous expliqua plus tard que le prêtre nous avait désigné le banc acheté par cette dame, mais la 8emitekoci venait tout de même de cracher sur ma mère, une femme si douce et si respectueuse. Même si j'étais encore très jeune, je possédais déjà un tempérament de guerrier et cette vision me mit hors de moi. Déchiré par la colère provoquée par cette insulte suprême et par la douleur de ne jamais pouvoir nous faire comprendre de ces humains qui nous méprisaient, je sortis en trombe de la cathédrale des Blancs.

Mes parents, plus magnanimes, fréquentèrent l'église tout au long de leur vie. Pour ma part, je dois admettre que cet épisode fut révélateur des incohérences trop nombreuses au sein de l'Église. J'y suis resté sensible. Je prie encore dans les églises à l'occasion et j'aime le message du Christ, mais j'ai de la difficulté à comprendre ce que certains humains en ont fait. J'encourage chacun à nourrir la croyance propre à sa culture, mais je crois aussi qu'il faut demeurer très lucide relativement au spirituel lorsqu'il tombe dans les pièges de la fermeture d'esprit, des inégalités, du dogme, des règlements, de l'expansionnisme, des fautes et des punitions, de la peur ou de la fuite hors de la réalité. Lorsque la tête prend le dessus sur le cœur et le bon sens, tous les dangers sont possibles. Ce qui suit en est une preuve éloquente.

❖

Plus douloureux que la souffrance elle-même est le silence qui la recouvre. Nous voici donc arrivés au moment où il faut briser le silence et aborder le sujet le plus sombre de ce récit : les pensionnats des petits Sauvages.

Aux survivants des pensionnats qui ont subi tous les viols possibles, comprenez que la guérison est notre seule option, mais que, pour guérir, il faut traverser le mur des non-dits. À tous les auteurs des crimes commis dans les pensionnats et qui liront peut-être ce livre — sait-on jamais ! —, la guérison par la prise de parole sincère est aussi votre seule solution. À tous les témoins silencieux de ces crimes, c'est-à-dire à tous les Canadiens, comprenez que tant qu'une blessure n'est pas rouverte, elle ne peut être nettoyée et continue de s'infecter. Nous devons tous avoir le courage de déterrer ce triste épisode de notre passé afin de nous réconcilier véritablement et de passer à une autre étape de notre vie commune.

L'humain qui a peur de vivre ses émotions est un être en cage. Peu importe nos blessures, la pire chose que nous puissions faire est de tenter d'oublier, sans crier ou sans pleurer. D'innombrables cris et larmes sont sorties de mon corps pour permettre ma guérison. La cicatrice est toujours présente et peut se réveiller de temps à autre, mais j'ai réussi à accepter l'inacceptable et à pardonner l'impardonnable. L'écriture de ces Mémoires m'oblige aujourd'hui à revivre une fois de plus les détails de cette lointaine époque de ma vie, mais je crois que cet exercice constitue simplement une étape de plus dans le processus de libération du passé. Je le fais donc pour moi, mais aussi parce que je suis convaincu que nous devons collectivement passer par là. Quand je dis «collectivement», je veux parler de tous ceux qui ont vécu de près ou de loin l'épisode des pensionnats, car il est temps que tous les habitants de ce pays, Autochtones et non-Autochtones, apprennent à se connaître et à se comprendre.

J'espère enfin que quiconque ayant souffert tant soit peu des épreuves de la vie pourra se sentir inspiré par notre histoire car, en définitive, nous avons tous un jour ou l'autre à triompher des blessures de notre passé.

# Cinquième Feu

## La grande déchirure

Le cinquième prophète a dit au peuple :

« Pendant le Cinquième Feu viendra un temps de grandes difficultés qui affecteront la vie de tous les Autochtones. Quand les signes de ce Feu apparaîtront, viendra parmi le peuple une personne qui promettra une grande joie et le salut. Si le peuple accepte ces promesses d'une nouvelle façon de vivre et abandonne les enseignements anciens, alors les difficultés du Cinquième Feu affecteront le peuple pendant plusieurs générations. Les promesses qu'on vous fera se révéleront fausses. Tous ceux qui accepteront ces promesses causeront la destruction presque totale du peuple. »

Quand le Cinquième Feu arriva, de grandes difficultés survinrent dans la vie de tous les Autochtones. La race à la peau blanche lança des offensives contre les Autochtones à travers tout le continent pour s'emparer de leurs terres et les priver de leur indépendance de peuple libre et souverain. Et, si elle leur a fait de fausses promesses à la fin du Cinquième Feu, c'était pour prendre les richesses associées à son mode de vie. Les Autochtones qui ont abandonné les anciennes méthodes et accepté ces nouvelles promesses furent en grande partie responsables de la presque totale destruction des leurs.

C'était un matin de fin d'été comme tous les autres. Maman devait s'affairer à préparer sa *panik*. Papa fabriquait peut-être une paire de raquettes ou un *tikinakan* pour le nouveau bébé en route. Je ne sais pas précisément, car je n'avais que huit ans et mes souvenirs de cette douloureuse matinée sont assez flous. Par contre, je me souviens nettement d'avoir vu surgir un agent de la Gendarmerie royale du Canada et un représentant du ministère des Affaires indiennes. Contrairement à leur habitude, ils ne s'en prirent pas aux adultes ce jour-là, mais bien aux enfants.

« Monsieur et madame Rankin, nous avons reçu l'ordre d'emmener six de vos enfants au nouveau pensionnat des petits Sauvages de Saint-Marc-de-Figuery. Si vous résistez, vous agirez contre la loi. »

Nos pauvres parents furent pris au dépourvu. « Il s'agit de cette bâtisse qu'ils nous ont fait construire l'an dernier. Cette école était donc pour nos propres enfants ! », dut conclure mon père. Malgré nos cris et nos tentatives de fuite, rien n'y fit. Impuissants, mon père et ma mère, ce matin-là, se firent arracher ce qu'il leur restait de plus précieux : leurs propres enfants.

Nous voici donc entassés dans un autobus, en route vers un lieu inconnu. Il y a mon frère Willy, quatre de mes sœurs, de nombreux autres enfants anicinapek et moi-même. Nous pleurons, terrifiés. Au bout de plusieurs minutes, nous arrivons devant un grand immeuble entouré de champs à perte de vue : le pensionnat des petits Sauvages. Sans ménagement, on nous sépare de nos sœurs qui disparaîtront dans l'aile des filles, dirigée par des religieuses de Saint-François d'Assise. Nous, les garçons, serons confiés à la congrégation des Oblats.

Nous ne comprenons absolument rien de ce qui nous arrive. Ces hommes et ces femmes en noir nous parlent dans une langue impénétrable. Nous traversons une grande salle où sont assis en rangs d'autres petits Anicinapek. Ils n'ont plus de cheveux et portent tous le même accoutrement.

On me tend soudain un sac de jute. Des hommes me déshabillent et me font asseoir tout nu sur une chaise de barbier. En un tournemain, ils me rasent la tête. Je fonds en larmes en me remémorant les enseignements de mon père, écho lointain dans ma tête et mon cœur : « Tes cheveux parlent de ton énergie de vie. Ils sont tes antennes pour te garder en communion avec la Terre. Dans notre tradition, les hommes laissent pousser leurs cheveux pour marquer leur lien avec la Terre-Maman, mais aussi pour accompagner les femmes. Ta chevelure est donc le signe de ton respect pour le Féminin. »

Les missionnaires m'ordonnent de ramasser mes cheveux en lambeaux de chaque côté de la chaise et de les mettre dans le sac de jute. Je dois aussi y enfouir mes mocassins et mes vêtements. Les hommes en noir me conduisent dans la cour arrière de la bâtisse. En compagnie d'autres enfants qui viennent de subir le même sort, je dois aller jusqu'à un baril de métal dans lequel on a allumé un feu. À tour de rôle, nous devons jeter nos sacs dans les flammes. Je vois partir en fumée les habits que maman avait fabriqués pour moi avec amour. Plus tard, je constaterai qu'on a réservé à peu près le même sort à mes sœurs, de l'autre côté du mur qui nous sépare. Elles aussi ont dû brûler leurs vêtements. On a rasé leur belle chevelure très haut derrière la nuque, pour ne leur laisser qu'une malheureuse couronne coupée au bol.

Après avoir vu mes vêtements et mes cheveux brûler, je suis dirigé jusqu'à la douche communautaire. Nous qui avons été élevés dans le plus grand respect du corps et de son intimité, nous voici brutalement plongés dans un univers des plus sordides. À la sortie de la douche défilent des petits garçons atterrés. Des larmes roulent silencieusement sur leur visage, mais la peur et l'état de choc les laissent sans voix. Je comprendrai bientôt pourquoi : trois religieux nous attendent dans la douche, complètement nus eux aussi. Sous prétexte de nous montrer comment nous laver, ils se servent de nous pour assouvir leurs instincts sexuels malades. Aujourd'hui, je sais nommer la chose. Par contre, à huit ans, j'étais sans défense et j'ignorais pratiquement tout de la sexualité, à part ce que la nature avait pu m'enseigner. Une chose est certaine, les gestes de ces hommes nous blessent dans tout notre être et nous sentons très bien que cela est mal.

Plusieurs années plus tard, j'apprendrais qu'on faisait la même chose aux petites filles de l'autre côté du mur. Malheureusement, le virus de la déviance sexuelle courait aussi chez les femmes de Dieu qui prenaient soin de nous.

Cette inconcevable réalité sera le lot de 150 000 enfants amérindiens et inuits, d'un bout à l'autre du Canada. En vertu de l'Acte pour encourager la civilisation graduelle des tribus sauvages, le gouvernement canadien s'était arrogé le droit de «tuer l'Indien dans l'enfant», selon un tristement célèbre fonctionnaire d'Ottawa[24]. À partir de la fin du XIXe siècle, des fonds furent alloués aux communautés religieuses pour qu'elles prennent en charge l'éducation des jeunes Autochtones dès l'âge de cinq ans et jusqu'à la fin de leur adolescence. Le tout dernier pensionnat indien ferma ses portes en 1996, en Saskatchewan.

Après s'être tus très longtemps, les survivants des pensionnats commencent maintenant à témoigner de leur passé. Nous découvrons avec stupéfaction combien les témoignages sont similaires, qu'il s'agisse des pensionnats indiens de l'Ouest ou de l'Est, d'institutions catholiques ou protestantes.

Je ne sais pas si Saint-Marc-de-Figuery fut pire que les autres pensionnats, mais, dès notre premier jour dans cet établissement, j'en témoigne, les 250 garçons et 250 fillettes qu'on avait confiés à l'Église furent victimes d'un viol collectif. Ce fut notre cadeau de bienvenue.

Notre quotidien au pensionnat comportait certes quelques périodes de récréation, mais je n'arrive guère à me remémorer des moments heureux ou loufoques. L'ambiance générale de mes six années passées entre ces murs de béton dégageait un parfum glauque de peur perpétuelle et de profonde tristesse.

Trois fois par semaine, nos journées commençaient par la messe. Lever à 5 h 30, puis célébration liturgique dans la chapelle, suivie du petit déjeuner. Les autres matins, nous nous adonnions à de la gymnastique dans la cour ou à des joutes de hockey pendant la saison froide. L'avant-midi et l'après-midi, nous étions en classe pour étudier le français, les mathématiques, la géographie et l'histoire, sans oublier bien sûr le catéchisme. Nous prenions place bien sagement, les garçons d'un côté et les filles de l'autre, à nos pupitres numérotés.

En fait, à notre arrivée au pensionnat, on nous avait assigné un numéro qui resterait le même jusqu'à la fin de nos études. Le moindre vêtement et la moindre fourniture scolaire qui nous étaient attribués portaient ce numéro, jusqu'à notre pupitre, notre lit, nos draps, nos

---

24. « *To kill the Indian in the child.* » Expression employée par Duncan Campbell Scott, le haut fonctionnaire le plus important au sein du ministère des Affaires indiennes en 1920.

crayons et cahiers, et même la gomme à effacer. Notre propre personne aussi ! En effet, pour une raison qui m'échappe encore, les missionnaires avaient pris l'habitude de nous désigner par notre numéro plutôt que par notre nom. Pourtant, c'étaient leurs semblables qui nous avaient baptisés autrefois de noms chrétiens ! Il faut croire que c'était plus pratique de nous donner un numéro. Le mien, c'était le 47. « Quarante-sept, quel est le premier commandement de Dieu ? » « Cinquante-trois, combien font 4 et 4 ? » « Trente-huit, peux-tu conjuguer le verbe avoir à l'imparfait ? » Encore aujourd'hui, je me souviens du nom et du numéro de chacun de mes camarades du pensionnat. Ils sont enregistrés dans ma mémoire : 46, mon frère Willy ; 49, André Wylde ; 51, Mathieu McDougall ; 54, Maurice Kistabish ; etc.

Les heures de classe étaient les seuls moments où nous bénéficiions d'un contact plus rapproché avec nos sœurs. Nous ne pouvions cependant pas nous parler, car les échanges verbaux n'étaient pas tolérés. De toute façon, durant nos premiers mois au pensionnat, nous n'avions plus de mots. Seuls leurs sourires ou leurs larmes nous informaient de leurs états d'âme. En attendant de pouvoir enfin comprendre et parler un peu le français, nous étions condamnés au silence, car l'usage de notre langue nous était strictement interdit. Si nous étions surpris à la parler, nous subissions une série de réprimandes. Lorsqu'on voit un ami se faire laver la bouche avec du savon ou de l'eau de Javel, on comprend vite qu'il vaut mieux ne courir aucun risque. « Si vous continuez de parler votre langue sale, répétaient nos maîtres, nous allons vous la couper ! » Cette menace me terrorisait chaque fois que je l'entendais. Du haut de mes huit ans, je croyais les missionnaires parfaitement capables d'en arriver là.

L'apprentissage du français n'a pas été sans heurts. C'est à coups de règle sur les doigts et de claques derrière la tête que nous avons graduellement intégré le vocabulaire des 8emitekoci et tenté, tant bien que mal, d'interpréter les concepts accompagnant leurs expressions. Celle que nous appelions *tibiki kisis*, le soleil de la nuit, ou plus affectueusement *kokum*, la grand-mère, devenait tout bonnement la lune. *Oteimin* n'était plus le fruit en forme de cœur, mais bien la fraise. *Onako*, qui se rapportait à quelque chose de passé, ne suffisait plus : il fallait désormais comprendre les nuances entre hier, l'autre jour et l'année dernière. Pour nous, le passé n'est que le passé. Il n'a guère d'importance car, ce qui compte, c'est chaque instant qui se vit maintenant.

Nous devions aussi apprendre à tutoyer certaines personnes et à en vouvoyer d'autres, suivant certaines règles sociales parfois bien arbitraires. Et que dire du genre des mots ? La tête est féminine — même pour un homme ! —, mais pas le crâne... On dit « le » miel et « la » confiture... « Une » rivière et « un » ruisseau... Quand j'appelle *mahikan* juste par son nom, je reste en lien avec son esprit. Lorsque je dis « le loup », c'est comme si je m'en éloigne en mettant un « le » entre nous... Peut-être n'ai-je pas reçu suffisamment de coups de règle ou peut-être m'en a-t-on trop donné ? Le fait est que, malgré toutes leurs tentatives, les *mekateokonek*[25] n'ont pas réussi à transformer mon cerveau pour que je puisse maîtriser la grammaire française ou voir la vie à la manière des Blancs. Je leur dis *mik8etc* de m'avoir prêté votre langue afin que je puisse désormais mieux dialoguer avec vous, mais le langage anicinape restera toujours celui avec lequel je me sens le plus à l'aise pour rêver la nuit et communiquer le jour.

Comme je l'ai mentionné au début de ce livre, les cours de catéchèse ont été particulièrement déroutants pour moi. Pendant longtemps, j'ai cru au ciel et à l'enfer, tel qu'on nous l'avait enseigné au pensionnat. Durant mon enfance, je craignais surtout le diable, dont on nous parlait abondamment. Si nous n'étions pas sages, affirmaient nos professeurs, nous nous retrouverions un jour ou l'autre avec des cornes sur la tête. Pendant longtemps, j'ai été troublé par une photographie de notre groupe prise par les missionnaires. De part et d'autre de mon front, on pouvait déceler des reflets de lumière formant deux taches mystérieuses. J'étais convaincu que ces marques annonçaient l'arrivée prochaine de mes cornes. Ce qui aggravait mon cas, c'est que la fameuse photo était encadrée dans le couloir. Dès que nous passions devant, les copains se faisaient un malin plaisir de me rappeler que mes cornes étaient sur le point de pousser !

Le lavage de cerveau se compliquait lorsque les missionnaires nous parlaient des Blancs qui, selon eux, étaient tous des pécheurs. Leur vie dépravée les conduisait tout droit en enfer, tandis que nous, les brebis du pensionnat, irions assurément au ciel, à condition bien sûr de rester fidèles aux commandements de Dieu. « Les sauvages, assuraient-ils, ce sont les Blancs. Il ne faut pas leur parler. Vos parents aussi sont des sauvages. Ils sont sales, ne connaissent pas le bon Dieu, et ceux qui ne confessent pas leurs péchés ou, pire ! qui n'ont même pas reçu le sacrement du baptême, sont perdus ! »

---

25. Les robes noires.

Le péché et la punition étaient des concepts étrangers à la philosophie de nos ancêtres. Chez nous, les êtres humains sont tous des enfants de la Terre et du Créateur, qu'importe leur origine ou leur comportement. Les jeunes enfants étaient libres et heureux de suivre les aînés afin d'apprendre tranquillement leur futur rôle d'adulte. S'ils agissaient de façon répréhensible, on les envoyait se promener en canot ou cueillir des choses dans la forêt pour qu'ils prennent le temps de réfléchir à leur conduite. Les adultes, quant à eux, se réunissaient en cercle autour du feu lorsqu'ils voulaient exprimer un malaise ou dissiper un malentendu. L'esprit de l'acceptation et de la réconciliation nous animait de façon si puissante que nous n'avions pas besoin de commandements ni de châtiments pour expier nos fautes. Un peuple n'a que faire du pouvoir de dissuasion quand il comprend qu'il n'y a pas de délit, mais seulement des faux pas, et que chacun est responsable de grandir à travers les enseignements placés sur son chemin.

Les anciens de chez nous ont toujours préféré enseigner le sens de l'harmonie plutôt que le maintien de l'ordre. Ils favorisaient la discussion plutôt que le concept de loi. Dans notre tradition, chaque individu possède la liberté, mais aussi la responsabilité de parole. Cela nous apprend à réfléchir par nous-mêmes et nous incite naturellement à nous engager au sein de la communauté. Notre rôle n'est pas passif comme dans les sociétés où les citoyens n'ont qu'à se plier à une série de codes pour fonctionner. À force d'agir sous l'influence de la peur, les humains obéissant aux lois et aux règlements deviennent un peu comme des robots qui rouspètent peut-être de temps en temps, mais qui finissent par se dessécher. Ils perdent tout intérêt dans la prise en charge du bien commun, y compris le bien de la Terre-Mère et de tous ses habitants.

À la fin du XVIII$^e$ siècle, en évoquant le monde civilisé des Blancs par rapport au monde des Sauvages, on posa la question suivante au célèbre chef mohawk des Six-Nations, Joseph Brant : « La civilisation favorise-t-elle le bonheur des hommes ? » Il répondit :

« Dans le gouvernement que vous dites civilisé, le bonheur des gens est constamment sacrifié au nom de la splendeur des empires, d'où l'origine de votre code criminel, de votre droit civil, de vos donjons et de vos prisons. Je ne m'étendrai pas davantage sur une idée aussi propre à la vie civilisée. Chez nous, il n'y a pas de prisons[26]. »

---

26. Helen Caister Robinson, *Joseph Brant : A Man for His People*, Toronto, Dundurn Press, 1986.

Pour nous qui n'avions jamais connu la violence, le pensionnat était choquant à tous les points de vue. Nous devions nous adapter à tant de choses et en si peu de temps ! La question de l'alimentation en est un autre exemple. Je suis issu de la grande famille algonquienne. Depuis toujours, nous cueillions, pêchions, chassions et trappions pour assurer notre subsistance. Notre alimentation était donc presque exclusivement basée sur la viande et le poisson. L'été, nous nous régalions des petits fruits que le Créateur faisait pousser sur notre chemin, mais la culture des légumes ou des céréales n'appartenait pas à notre mode de vie. Puisqu'il en était ainsi depuis toujours, notre corps n'avait pas besoin de légumes. Nous trouvions tout ce qu'il fallait dans la forêt pour être en bonne santé. Il va sans dire que nous avons eu du mal à supporter la transformation alimentaire imposée par les bouleversements des dernières décennies. Lorsque nous nous sommes retrouvés attablés au pensionnat, assis bien droit sur nos chaises devant ces drôles de plats qu'on nous servait, l'appétit n'était pas toujours au rendez-vous. « Qu'est-ce que c'est que cette nourriture ? me disais-je devant mon plat de gruau. Ça ressemble à la bouillie que papa et maman préparaient pour nos chiens. Et voilà que je dois maintenant avaler cette mixture répugnante, que je le veuille ou non. » Chez nous, nous ne mangions que lorsque nous avions faim. De la nourriture était prête en permanence au campement, mais nous ne prenions pas nos repas à heure fixe. Les missionnaires, quant à eux, nous obligeaient à manger trois fois par jour et à finir nos assiettes, que nous ayons faim ou non. Nous l'avons appris à nos dépens, encore une fois, quand nous avons vu nos amis les plus récalcitrants se faire enfoncer le visage sans ménagement dans leur soupe aux pois ou leur purée de pommes de terre par un frère ou une sœur à la poigne de fer.

❖

Nos journées au pensionnat étaient réglées comme des horloges, partagées entre prières, repas, études et récréations. L'heure que nous redoutions le plus était celle du coucher. Après le souper, nous passions quelques moments à jouer aux dames, au jeu des serpents et échelles, au ballon-chasseur ou au hockey, puis les frères nous signalaient qu'il était temps de monter au dortoir. Comme de bons petits soldats, nous formions les rangs, montions les escaliers, et nous nous asseyions à tour de rôle sur notre lit en attendant l'appel de notre numéro pour passer à la salle de bains. Nous faisions notre toilette et enfilions notre pyjama devant ces hommes en noir dont les regards inquisiteurs nous laissaient constamment souillés, malgré tous nos efforts pour bien nous savonner et nous doucher. Toutes ces opérations devaient se dérouler dans un parfait silence, sinon, gare aux coups de bâton !

Dans les premiers jours au pensionnat, l'un de nous a rapidement appris qu'il ne fallait pas prendre les menaces des frères à la légère. Ce garçon avait tout simplement osé parler dans les rangs. Dans un accès de rage caractéristique, le frère Boivin l'a soudainement agrippé par le cou pour lui flanquer une raclée. Il l'a forcé à s'agenouiller près de la cage d'escalier, puis il l'a frappé si fort derrière la tête en vociférant ses ordres que le front de notre camarade a violemment percuté un coin de mur et que le sang a giclé. On nous a vite demandé de tout nettoyer, mais cette première vision de violence extrême au pensionnat m'a longtemps pourchassé. Dans les rangs, j'étais toujours muet comme une carpe.

Une fois les garçons bien endormis dans leur lit, les trois rôdeurs de la nuit apparaissaient. Frère Boivin, frère Grenier et frère Ménard[27] avaient notamment pour tâche de surveiller les dortoirs. C'est la raison pour laquelle leurs cellules se trouvaient à côté des grandes salles où nous devions « faire de beaux rêves ». La première fois qu'ils sont venus me chercher, j'avais encore huit ans. Il était tard le soir. Les autres enfants dormaient à poings fermés quand tout à coup frère Boivin m'a secoué :

« Quarante-sept, lève-toi, a-t-il chuchoté pour ne pas réveiller les autres. Nous avons besoin de toi à la buanderie pour plier des vêtements. »

Méfiant, mais loin d'imaginer la suite, j'ai suivi le frère Boivin en me frottant un peu les yeux, puis nous nous sommes retrouvés au sous-sol. J'apprendrais par la suite que la buanderie était l'un des lieux les plus dangereux du pensionnat, après les cellules des trois frères rôdeurs, les douches et le confessionnal, sans oublier le cagibi que nous appellerions plus tard la « salle des martyrs », ce lieu lugubre où les frères nous suppliciaient. Aux murs de ce sombre réduit étaient accrochés leurs instruments de torture : sangles pour chevaux et ceintures de toutes les tailles, bâtons de hockey tronqués, battes de baseball, etc. Les frères étaient

---

27. Il s'agit de noms fictifs. Nous avons choisi de taire les noms des véritables responsables.

même équipés d'un étau aux mâchoires pourvues de bandes de caoutchouc. Ils nous y écrasaient parfois la main, jusqu'à ce que nous finissions par avouer la «vérité». À maintes reprises, j'ai vu des élèves sortir de la salle des martyrs avec les doigts en sang et les ongles éclatés.

Dans la buanderie, le frère Grenier nous attendait. Pendant qu'il me montrait à plier les serviettes et les draps empilés devant nous, frère Boivin s'est mis à me caresser le dos, puis les fesses. Je sais maintenant qu'ils m'avaient tendu un piège. J'ai voulu me débattre, mais les deux hommes m'ont ôté de force mon pyjama. Même s'ils étaient beaucoup plus forts que moi, j'ai réussi miraculeusement à m'arracher de leurs griffes. Nu comme un ver, j'ai couru jusqu'à l'étage des salles de classe. Frère Boivin et frère Grenier me cherchaient dans le noir. Après m'être caché dans une salle, je me suis faufilé dans les toilettes et suis entré dans un cabinet. Au moment où l'un de mes poursuivants entrait dans les toilettes, je suis monté sur la cuvette pour qu'il ne voie pas mes pieds sous la porte. Le missionnaire a allumé la lumière, puis, croyant qu'il n'y avait personne, il a éteint et est reparti. J'ai attendu encore un moment, le cœur battant, puis j'ai eu l'idée d'aller jusqu'au dortoir des grands pour me réfugier dans le lit de mon frère Willy. J'ai eu de la veine : personne ne m'a aperçu. Je suis parvenu à trouver mon grand frère et je me suis glissé sous ses couvertures. Willy a sursauté :

«Dominique ? Qu'est-ce qui se passe ? Qu'est-ce que tu fabriques ici tout nu, au beau milieu de la nuit ? Où est ton pyjama ?

— Mon pyjama est dans la buanderie. Frère Boivin et frère Grenier m'ont demandé d'aller plier du linge avec eux… »

Je n'ai pas eu besoin de lui en dire plus long. Willy devinait la suite. D'ailleurs, tout le monde découvrirait tôt ou tard les comportements déviants des trois frères censés veiller sur notre sommeil. Tout à coup, le frère Boivin est apparu dans le dortoir et s'est planté au pied du lit. De toute évidence, il s'était douté que j'irais me réfugier auprès de mon frère aîné. Habile menteur, il m'a tendu un nouveau pyjama et a déclaré d'une voix faussement rassurante : «Te voilà, 47 ! Nous t'avons cherché partout, tu sais. Tiens, enfile ce pyjama et retourne te coucher. » Puis, s'adressant à Willy : «Ne t'en fais pas pour ton frère. Il vient de faire ce qu'on appelle du somnambulisme. Il s'est déshabillé et a marché jusqu'ici en dormant. »

❖

Je n'ai pas réussi à fermer l'œil du reste de la nuit. J'avais trop peur que l'un des frères ne revienne me chercher. Il semble cependant que ma ténacité ait refroidi leurs ardeurs, puisqu'ils m'ont laissé tranquille. Le lendemain matin, j'ai trouvé des bonbons dans mon vestiaire : cadeau de mes deux agresseurs. C'était leur méthode pour acheter notre silence. Je les ai partagés avec des copains. Même si nous aimions les friandises, celles du pensionnat avaient un goût amer, car nous savions tous ce que cela signifiait lorsqu'elles se retrouvaient discrètement entre nos mains.

Il faut dire aussi que nous avions toujours faim. En plus de ne pas être ragoûtantes, nos rations étaient plutôt maigres et les desserts, assez rares. Avec les années, nous avons pris de l'assurance et découvert comment subtiliser du pain, de la confiture et des biscuits dans la grande dépense. Nous allions régulièrement faire le plein de victuailles que nous cachions sous un bâtiment surélevé, où nous pouvions nous faufiler. Avant de repartir, nous remettions quelques planches en place et rien n'y paraissait. C'était une très bonne planque, où nous pouvions bavarder en paix et nous régaler un peu avant de réapparaître au sein du grand groupe, ni vu ni connu !

Par ailleurs, lorsque le boulanger arrivait avec son camion dans la cour, nous accourions vers lui, car il avait pris l'habitude de nous refiler des gâteaux en douce quand nous l'aidions à décharger ses caisses de pains. Le boulanger a été le seul laïc blanc à franchir les murs de notre enceinte, durant les toutes premières années du pensionnat de Saint-Marc. Cet homme simple et bon était notre unique lien vers l'extérieur. Dès que nous avons su écrire un peu, nous avons glissé des messages de détresse dans sa main ou dans ses poches, sans nous faire voir des missionnaires. Nous l'implorions d'agir : « S'il vous plaît, donnez ces messages à nos parents. Dites-leur qu'on nous fait du mal ici. »

À cette époque, nous étions convaincus que le boulanger connaissait nos parents et qu'il savait où ils habitaient. Nous n'avions pas encore appris que, pour envoyer une lettre, il fallait d'abord connaître l'adresse du destinataire. Et, même si nous avions compris comment fonctionnait la poste, nous n'aurions pas su où trouver nos parents, car ceux-ci campaient encore ici et là, au gré des expulsions ou des petits travaux que nos pères faisaient. Résultat, nos missives ne se sont jamais rendues à bon port. En outre, à cette époque, la loi du silence ne régnait pas seulement entre les murs du pensionnat, mais aussi dans toutes les chaumières chrétiennes du pays. L'hégémonie de l'Église était si grande que personne n'aurait osé dénoncer un religieux, encore moins toute une congrégation. Nous avions nous-mêmes essayé de dénoncer les frères rôdeurs auprès du père principal, en vain. Chaque fois que nous cherchions de l'aide en haut lieu, nous étions punis. Notre pauvre boulanger devait se sentir bien impuissant. J'ai l'impression que tout ce qu'il pouvait faire pour nous soulager un peu, c'était de nous offrir des petites douceurs en cachette et prier pour nous.

De nos jours, je n'ai plus de frissons d'horreur lorsque je parle des viols que j'ai subis ou dont j'ai été témoin. De temps à autre, certaines émotions remontent un peu à la surface, mais la colère et la tristesse ont maintenant quitté mon corps et je vis en paix. Cela dit, le fait de témoigner par écrit de ces agressions m'oblige à ressasser des détails du passé. Il s'agit d'un exercice délicat, car j'ai la responsabilité de transmettre au mieux le message de guérison auquel j'aspire. Comment trouver les mots justes pour que le lecteur ressente la gravité des crimes commis, tout en respectant la dignité des individus concernés ? Comment témoigner de ce quotidien sordide, sans tomber dans le voyeurisme et sans esprit de vengeance ?

Grâce à mon tempérament de chef qui se manifesta dès ma plus tendre enfance, je crois que nos agresseurs m'ont un peu épargné. Ils semblaient se tourner naturellement vers les enfants plus frêles et timides. Malgré tout, j'ai eu ma part de sévices. Sans tout divulguer en détail, je peux affirmer que les nuits de mon enfance au pensionnat ont été hantées par les visites des frères pédophiles. Chaque nuit, ils entraient dans nos dortoirs pour se livrer à leur vice. Nous y passions à tour de rôle. En ce qui me concerne, peut-être tous les deux mois. L'un d'eux venait me tirer du lit et m'entraînait dans sa cellule. Il priait d'abord, se déshabillait complètement, puis me parlait de Dieu, de la chair, de son corps, tout en m'invitant à accomplir certains actes sur sa personne ou sur la mienne.

Parfois, un enfant était emmené par un adulte dans la forêt. Parfois, cela se passait dans un recoin sombre de notre établissement. La perversion de ces religieux s'exprimait même jusque dans les confessionnaux où, après avoir écouté nos péchés, ils nous demandaient de baisser nos pantalons et de réciter le chapelet en guise de pénitence, pendant qu'ils nous reluquaient ou se masturbaient de l'autre côté du grillage.

Au bout de nombreuses années de mutisme, certaines de mes sœurs ont réussi à parler des viols qu'elles avaient subis de leur côté, que ce soit avec des hommes ou des femmes. En effet, des religieuses ont aussi participé à cette vaste folie collective qui a frappé les pensionnats indiens au temps de la Grande Noirceur.

Malheureusement, les premières femmes nues que j'ai vues furent des religieuses aussi tordues que nos geôliers masculins. Un jour, des frères nous avaient demandé, à mon cousin Mathieu et à moi, d'apporter des sandwiches aux sœurs qui se baignaient dans le lac près du pensionnat. Quand on nous confiait une tâche spéciale, nous en étions tout de suite fiers et contents. Or, arrivés sur les lieux, notre joie fit place au désenchantement. Une fois de plus, on nous invitait à regarder des scènes ou à accomplir des actes auxquels personne ne devrait jamais contraindre les enfants, nulle part sur terre. Je tiens à clore cet épisode en soulignant que, bien que ces crimes ne fussent pas perpétrés par l'ensemble de nos tuteurs, la violence morale, physique et sexuelle était notre lot quotidien à tous, et qu'il se trouvait suffisamment de complices chez les hommes et les femmes de Dieu du pensionnat pour causer des ravages incommensurables parmi les nôtres, et ce, sur plusieurs générations. Ces crimes sont restés impunis pour la plupart, et, comme tout le monde le sait désormais, la force du secret est malheureusement plus grande au sein de l'Église que celle de la vérité. Du moins pour le moment…

La veille de notre premier Noël à Saint-Marc-de-Figuery, nous avons eu la surprise d'apprendre que papa et maman nous attendaient au parloir. Ma sœur Cécile m'assure aujourd'hui que cette visite a eu lieu quatre mois après notre arrivée au pensionnat. Pour ma part, cette période m'a paru si interminable qu'il me semblait avoir dû attendre plus d'un an avant la première visite de mes parents dans notre prison. On nous a donc convoqués tous les six afin de passer quelques minutes en leur présence. Avant de nous ouvrir la porte du parloir, les frères ont été catégoriques : « Vous restez bien sages de votre côté de la salle. Vous n'avez pas le droit de toucher vos parents ni de vous adresser à eux dans la langue des Sauvages. Si vous ne parlez pas français, vous savez ce qui vous attend ! »

Mes quatre sœurs, Willy et moi avons pénétré dans la pièce. À l'autre extrémité se trouvaient papa et maman. Au centre, un prêtre et une religieuse supervisaient la rencontre. Nous avons tressailli en apercevant cet homme et cette femme que nous aimions tendrement. Mes sœurs pleuraient en silence. Mon frère et moi avons aussi versé quelques larmes, mais nous cachions notre émotion sous une petite couche de méchanceté :

« T'as vu comme nos parents sont sales ? a déclaré mon frère en français.

— C'est vrai qu'ils ont l'air de deux Sauvages ! » ai-je ajouté, puis nous nous sommes esclaffés en nous couvrant la bouche de la main.

En vérité, notre nervosité et surtout notre immense désarroi nous avaient poussés à proférer cet affront que nos parents n'ont heureusement pas compris. La moquerie nous donnait l'illusion de la force et cachait peut-être aussi notre colère. Nous nous sentions abandonnés par nos parents.

À l'autre bout de la pièce, ma mère a accusé le coup. Elle ne parlait ni le français ni l'anglais, mais elle lisait la souffrance sur nos visages et a fondu en larmes en voyant notre allure générale :

« *8essa ! Ecinakosi8atc ota apinotcicak !* Mais regarde donc nos enfants ! s'est-elle exclamée en se tournant vers mon père. Ils ont perdu leurs cheveux et leur beau teint ! Ils ont l'air malades ! Il faut les ramener à la maison !

— Tu sais bien que c'est impossible, Emma. C'est contre la loi. »

Voir ma mère pleurer et sentir notre misère intérieure m'a fait exploser. Tant pis pour les punitions qui allaient suivre. Je devais parler, leur dire ce qui se passait dans cette école maudite.

« *Tep8e, Dada !* C'est vrai, papa ! Maman a raison. Ils nous font du mal ! *Ni 8i ki8e nokom !* Je veux rentrer à la maison maintenant ! »

Le problème, c'est que dans notre langue le mot « viol » n'existe pas. Je n'avais donc aucun moyen de faire comprendre l'incompréhensible à des parents anicinapek de leur génération. De toute manière, il était déjà trop tard. Un frère m'a empoigné par le collet et m'a entraîné hors du parloir. Il a dévalé l'escalier en me tirant par l'oreille (un jour, je me ferai d'ailleurs tirer par l'oreille si violemment par un frère que cela me vaudra un problème de surdité permanent), puis, une fois dans la grande salle, il m'a ordonné de m'agenouiller sur une baguette de bois : « Reste là sans bouger, jusqu'à ce qu'on te dise que ta pénitence est terminée. Ça t'apprendra à ne plus parler ta langue sale ! » Je suis resté là de longues minutes, souffrant atrocement des genoux et aussi dans mon cœur d'enfant seul au milieu de toutes ces injustices. Un peu plus tard, Willy est apparu : « Nos parents sont partis. » Faisant mine de rien, il a donné un coup de pied sur la baguette pour la faire rouler plus loin et il est reparti. Peu après, un missionnaire est venu mettre fin à ma punition. « Tâche d'être obéissant la prochaine fois », m'a-t-il sermonné en me redressant par le bras. Il n'a pas remarqué la baguette le long du mur et n'a pas compris que Willy m'avait tiré de la fâcheuse position imposée par son collègue.

Le lendemain, nos parents et ceux de nos camarades étaient invités à célébrer la messe de minuit avec nous. Encore une fois, les missionnaires ont édicté des règles auxquelles nous devions obéir à la lettre :

« Vous devez rester tranquilles et silencieux durant toute la messe. Vos parents prendront place dans le jubé[28] et vous resterez dans le chœur[29]. Ceux qui se retourneront pour regarder ou saluer leurs parents seront punis et ne pourront pas les voir après la messe. C'est compris ? »

Nous sommes donc entrés à la queue leu leu dans la chapelle. Nous sommes restés bien droits comme des soldats tout au long de l'office qui m'a paru durer une éternité. J'ai dû me retenir de toutes mes forces pour ne pas me retourner vers mes parents. L'attente était encore plus insupportable lorsque je les entendais entonner les hymnes. Ils chantaient *Minuit, chrétiens* et *Adeste Fideles* en anicinape. Autrefois, les missionnaires avaient traduit ces airs pour notre peuple et trouvaient charmant d'entendre leurs ouailles chanter la gloire du Seigneur dans la langue indienne. Quant à nous, on nous avait appris à renier notre langue, que ce soit en paroles ou en chanson. Cela faisait partie des nombreuses incohérences avec lesquelles il fallait composer. Mais, pour l'instant, papa et maman étaient bel et bien présents, à quelques mètres au-dessus de moi. Je reconnaissais leurs belles voix et bientôt, si je restais bien sage, je pourrais enfin les voir pour la petite fête familiale.

❖

---

28. La tribune.
29. La nef.

Je dois dire que plusieurs religieux et religieuses du pensionnat étaient d'excellents tuteurs et guides spirituels. Je garde un très bon souvenir de la plupart des religieux ayant veillé sur mon éducation, des hommes foncièrement bons qui ont su nous transmettre d'innombrables connaissances essentielles à notre survie dans la modernité. Ces véritables missionnaires étaient les instigateurs des fêtes de Noël, des carnavals, des olympiades et des sports d'équipe, dont je conserve des souvenirs heureux. Parfois, le samedi matin, les frères nous donnaient des sandwiches et nous lâchaient dans la forêt : « Allez, partez ! Évadez-vous dans les bois et rentrez cet après-midi ! » Pour nous, c'était la jouissance totale. Une journée complète à arpenter le territoire, dans cette forêt où nous nous sentions tellement chez nous ! À l'approche des jours de fête auxquels nos parents étaient conviés, on nous permettait même de tendre des collets pour le lièvre ou la perdrix. Nous rentrions triomphants avec nos prises et les donnions aux sœurs qui les apprêtaient à leur manière, mais c'était tout de même bien bon.

Lorsque nous avons été un peu plus âgés, j'ai fait partie d'un petit groupe qui adorait se jouer des règlements, dès que la voie était libre. Les matinées du week-end étaient souvent consacrées à des travaux divers, comme pelleter la neige, planter des arbres ou corder du bois. En après-midi, c'était l'heure de la sieste, et c'est à ce moment que nous nous esquivions le plus facilement. À l'insu de nos gardiens, nous allions patiner sur le lac gelé ou glisser dans la neige. Personne ne pouvait nous voir depuis l'immeuble principal. Il nous est aussi arrivé à quelques reprises de nous rendre à l'étable, en contrebas, pour libérer les vaches. Pour nous, garder des animaux emprisonnés était inconcevable. Puisqu'on nous permettait parfois de regarder un peu la télévision, nous avions vu des images de rodéo, et nous avons bien ri lorsque notre ami Oscar a un jour décidé de jouer au cow-boy sur le dos d'une vache. D'autres fois, nous nous prenions pour Robin des Bois et nous nous battions à l'épée avec des bâtons de hockey tronqués. Je porte encore une cicatrice sur la poitrine, vestige d'un coup d'« épée » au cœur.

Parmi les divertissements auxquels nous avions le droit de nous adonner, rien ne surpassait le sport national des Canadiens, le hockey sur glace, avec ses héros Maurice Richard, Jean Béliveau, « Boum Boum » Geoffrion et Claude Provost (mon joueur préféré !). Au début, des Blancs nous ont appris les rudiments de ce sport, à commencer par l'art de se tenir debout sur des patins. C'est même le célèbre Serge

Savard[30] qui a attaché mes patins pour la première fois ! Comme le hockey dérive de jeux amérindiens, les jeunes Anicinapek deviennent vite d'excellents joueurs. Pour nous, le hockey est comme une seconde nature. Il ne m'a pas fallu beaucoup de temps pour devenir un bon patineur, un bon marqueur et... un bon bagarreur !

Dès l'âge de 10 ou 11 ans, j'ai disputé mes premiers matchs contre des Blancs. Les week-ends, des clubs de la région venaient nous visiter au pensionnat. Nous avons aussi eu la chance d'aller jouer dans des tournois en province, aussi loin qu'à Québec ! Au fil des années, plus nous devenions costauds, plus l'agressivité montait en nous, en raison des secrets effroyables de notre vie au pensionnat. Au début de l'adolescence, mes camarades et moi avons commencé à prendre plaisir à taper sur les Blancs durant les matchs de hockey. Nous les plaquions rudement contre la bande et nous étions passés maîtres dans l'art de leur flanquer de bons coups de bâton dans les côtes à la première occasion ! On appelait cela « donner des six-pouces » (les hockeyeurs québécois sauront de quoi je parle !), et l'adversaire s'écroulait aussitôt sur la patinoire en nous injuriant : « Maudits Sauvages ! » Ces insultes nous fournissaient un prétexte pour nous bagarrer.

Aujourd'hui, je me rappelle encore un coup de bâton reçu en pleine bouche, acte de vengeance d'un Blanc à la suite des nombreux coups que j'avais distribués avec enthousiasme depuis le début du match. Résultat : il me manque toujours deux molaires. Le plus drôle, c'est que, dès qu'un hockeyeur blanc nous maudissait (« Mon tabarnak de Sauvage !... Ostie de chien sale !... Mon petit Christ, attends qu'on se retrouve ! »), nous retournions au banc et jouions aux gentilles brebis du pensionnat en disant aux missionnaires : « Vous voyez le numéro 8, là-bas ? Eh bien, il vient de blasphémer. Même chose pour le numéro 22 ! » Alors, entre deux périodes, nous nous mettions à genoux avec les religieux afin de réciter des prières pour que les jeunes Blancs — les véritables sauvages, selon nos tuteurs — n'aillent pas en enfer !

Le retour de la douce saison annonçait toujours le retour au bercail. Je me souviens très bien de la toute première fois où papa est venu

---

30. Ancien défenseur du Canadien de Montréal (équipe glorieuse de la Ligue nationale de hockey), Serge Savard est né en 1946 à Landrienne, en Abitibi.

nous chercher à la fin de l'année scolaire. N'ayant pas de véhicule (et les Indiens n'ayant toujours pas le droit d'utiliser les transports en commun), il avait demandé à notre voisin d'Amos, M. Jean-Paul Ouellet, de nous servir de chauffeur. Je nous revois encore, tous les six, monter dans son immense bagnole et reprendre le chemin de la liberté. Quelle joie de retrouver le cocon familial, d'enfin pouvoir nous amuser avec tous nos frères et sœurs, de porter les vêtements que nous voulions, de retrouver les parfums et les saveurs de la cuisine de maman : du castor, de l'outarde ou un bon gros brochet. Quel délice !

Durant nos premières vacances d'été, nous étions heureux de parler librement notre langue. Les années qui allaient suivre, par contre, nous éloigneraient de plus en plus de notre culture. Plusieurs d'entre nous allaient éventuellement se sentir plus à l'aise en français, soit par peur de représailles, soit par souci de vivre une vie plus moderne chez les Blancs et de se fondre dans la masse.

Quand nous rentrions à la maison pour l'été, il nous fallait un certain temps avant de retrouver nos ailes. La maisonnée nous avait tellement manqué que nous n'osions pas sortir. Nous ressentions le besoin impérieux de rester auprès de papa et maman. Nous n'avions pas non plus la force de souffler mot des choses terribles qui marquaient notre quotidien au pensionnat. Je pense aussi que chacun était trop content de retrouver ses anciens repères et de profiter de ces moments bénis que nous passions tous ensemble.

En ce qui me concerne, mon père avait recommencé à m'entraîner dans l'une ou l'autre de nos extraordinaires aventures en forêt ou à la rencontre d'hommes et de femmes-médecine. Cela faisait partie de mon entraînement en tant qu'apprenti. Malgré le pensionnat, les anciens de mon peuple continuaient d'affirmer que j'étais un enfant différent, qu'il fallait me protéger et m'instruire en catimini. Dès qu'ils en avaient la chance, ils poursuivaient donc mon éducation de futur *Okima*. Ils m'entretenaient régulièrement du jour où je me sentirais prêt à faire mes preuves en tant que jeune homme-médecine et à partir en quête de l'« esprit de la forêt ».

Parmi les anciens auprès desquels papa aimait bien me conduire, il y avait Tcomitc Black. Ce grand-père s'installait pour l'été à Low Bush, du côté ontarien du lac Abitibi, et il appartenait au clan de l'ours. Il m'impressionnait énormément avec ses enseignements et ses histoires fabuleuses au sujet de *Manto Mak8a*[31], l'esprit de l'ours. Tous

---

31. Prononcer « Mandou Makoua ».

les printemps, il recueillait des oursons orphelins qu'il trouvait dans la forêt et les soignait chez lui jusqu'à ce qu'ils soient assez grands pour être relâchés dans la nature. Quand nous arrivions chez lui, il me demandait : «*Aca na kikinta8ama ki mak8a ?* Alors ? As-tu fini par rencontrer ton ours ? »

Quand j'étais jeune, cette question me faisait peur. Je me pensais absolument incapable de vivre une telle rencontre. Pourtant, je savais bien que l'esprit de l'ours et le mien étaient liés d'une manière particulière. Combien de fois l'ours m'avait-il visité dans mes rêves ? Parfois, nous gambadions ensemble, ou nous nous chamaillions, ou nous nous baignions dans un beau grand lac. Jamais ces rêves ne m'effrayaient, car l'ours qui m'apparaissait était toujours amical et protecteur. Au petit matin, je confiais mes rêves à ma mère qui, elle aussi, prédisait qu'un de ces jours l'ours croiserait ma route.

C'est ainsi que, l'été de mes 12 ans, je me suis senti prêt à faire mes preuves. J'avais vieilli et je me savais en mesure de démontrer à papa et maman que j'avais bien retenu tout ce qu'ils m'avaient enseigné sur la survie, au fil des années. Chez nous, c'est vers 12 ans qu'un enfant entre graduellement dans l'âge adulte. Nous étions à la fin de l'été, les nuits étaient encore douces et la forêt regorgeait de bonnes choses pour nous nourrir. Avec un mélange d'assurance, de témérité et d'une petite touche d'orgueil, j'ai dit à mon père, un beau matin, que je me sentais prêt à vivre cette première initiation et à aller chercher l'esprit de la forêt. Dans mon cas, il était évident que ce serait l'esprit de l'ours. Je savais qu'il allait ensuite m'accompagner et m'assister toute ma vie dans mon travail d'homme-médecine.

« C'est vrai ? Tu as pris ta décision ? m'a demandé mon père en me regardant droit dans les yeux.

— Oui. Je suis prêt à quitter la maison.

— Très bien. Je prépare tout de suite notre voyage. »

Au moment où j'ai fait ma grande demande, nous nous trouvions dans notre maison d'Amos. Or, pour tout ce qui concernait la médecine traditionnelle, nous avions l'habitude de nous rendre dans le secteur de la rivière 8akocik, à l'ouest du lac Abitibi. C'est donc là qu'aurait lieu ma première initiation.

Au bout de quelques jours de préparation, mon père, ma mère et moi sommes partis pour 8akocik. Le reste de ma famille ignorait le but véritable de notre expédition, car mes parents ne voulaient surtout pas placer leurs enfants dans une situation délicate envers les autorités de l'époque.

Une fois sur place à 8akocik, papa m'a annoncé que tout était prêt pour mon initiation. Le soir venu, près du feu, il a révisé avec moi toutes les connaissances utiles à mon épreuve :

« Tu peux maintenant partir dans la forêt. Je t'accompagnerai en canot jusqu'au lieu où tu devras vivre en attendant que l'esprit vienne à ta rencontre. Tu y resteras seul aussi longtemps qu'il le faudra. Tu te rappelles bien comment construire ton piège pour capturer l'esprit ?

— Oui, papa.

— Si l'esprit refuse d'entrer dans ton piège ou si tu le blesses et qu'il s'enfuit, tu auras échoué l'épreuve. Tu comprends ?

— *Ehe*. Oui.

— Tu n'as pas oublié ce qu'il faut faire pour allumer ton feu sacré, même sous la pluie ?

— *Ka8in*. Non.

— Pendant la nuit, tu risques de te sentir un peu plus seul que lorsqu'il fera jour. La nuit, tu es comme dans le ventre de ta maman, enveloppé et protégé par le noir. Tu ne devrais jamais en avoir peur. »

Mon père a marqué une pause. Le feu chatoyait devant nous. Tout était calme dans la forêt. Et papa a conclu ainsi ses enseignements :

« Nous t'avons tout enseigné, Kapiteotak. C'est à toi maintenant de nous montrer que tu sais vivre seul dans la forêt, comme un homme. Puisque tu te dis prêt, tu partiras demain matin au lever du soleil. »

Première surprise : je ne m'attendais pas à ce que les choses se passent si rapidement. « Demain matin ? me suis-je étonné. Mais c'est trop soudain ! » Brusquement confronté à l'imminence de mon départ, je ne me sentais plus aussi sûr de moi. Plus les heures passaient, plus j'étais agité. L'aube ne devait pas être très loin quand j'ai enfin trouvé le sommeil. Lorsque j'ai ouvert l'œil, maman s'affairait à remplir un grand sac à dos, mais papa n'était pas dans la tente.

« *Ati dada ?* Où est papa ?

— À la rivière, a répondu maman. Il est en train de préparer le canot pour notre départ. J'ai décidé d'embarquer moi aussi, pour t'accompagner. *Ki 8i 8isin na ?* As-tu faim ?

— *Ehe*.

— Tiens, mange bien », m'a-t-elle dit en me tendant un bol de soupe au lièvre, notre mets préféré, à maman et moi.

J'ai dévoré ma soupe et ma mère finissait de remplir mon sac à dos lorsque mon père est rentré dans la tente :

« *K8e, Kapiteotak ! Ki mino matisin na ?* Bonjour, Kapiteotak ! Tu vas bien ?

— *Ehe*, mais je n'ai pas beaucoup dormi.

— Tu es un bon guerrier, mon fils. Tout va bien se passer », a répondu mon père d'une voix ferme et rassurante à la fois.

Puis, en désignant le sac à dos que ma mère venait de préparer, il lui a demandé : « Mais qu'est-ce que tu as mis dans ce sac ?

— Eh bien, tout ce dont notre fils aura besoin : une couverture, des vêtements de rechange, un couteau, un peu de nourriture et des allumettes.

— Non ! Kapiteotak sait comment survivre en forêt sans tout cela. Ce sac va rester ici, a décrété mon père. *A8sa, macatan !* Allons, partons maintenant ! »

Avec un léger pincement au cœur, je prends place au milieu du canot et maman s'installe à l'avant. Papa, lui, est à l'arrière. En poussant sur la berge avec sa rame, maman fait glisser notre embarcation sur le sable et nous propulse doucement sur la rivière. Nous nous mettons ensuite à pagayer ensemble, sans nous précipiter. Chaque coup de rame est lent et précis à la fois. Il s'agit de trouver un rythme de croisière, tout en économisant nos forces et, surtout, en étant en parfaite harmonie avec l'eau et les autres éléments qui nous entourent. *Tciman*, le canot, est pour nous beaucoup plus qu'un simple objet. Voyager à son bord est une véritable méditation. *Tciman*, c'est la médecine.

Ainsi, nous glissons délicatement sur la rivière, qui est comme un miroir en ce matin calme de la fin août. De temps en temps, des familles de canards s'envolent à notre approche. La forêt canadienne est plongée dans son merveilleux silence caractéristique. Papa chantonne et lorsqu'il pagaie on entend le doux bruissement des gouttes qui ruissellent le long de sa rame et retournent à la rivière. De l'avant du canot me provient un autre chant : maman ne retient plus ses larmes. J'avais cru déceler chez elle une certaine émotion un peu plus tôt, lorsqu'elle m'avait embrassé avant notre départ. Cette fois, elle se permet de pleurer, alors qu'on ne voit pas son visage. Je comprends qu'elle est émue de voir partir son petit garçon qui se dit déjà prêt à devenir un adulte.

Nous parcourons ainsi des kilomètres sur la rivière 8akocik, sans nous arrêter. Au bout de quelques heures, mon père annonce que nous approchons de l'endroit où je dois m'installer. Avant d'accoster, papa me recommande d'examiner les lieux dès que nous aurons mis le pied à terre.

« Je veux que tu explores les environs, commande-t-il. Reviens ensuite me donner le nom de tous les arbres et plantes qui pourront te fournir leur médecine durant ton séjour ici. Entendu ? »

Avec son adresse habituelle, papa donne une dernière impulsion au canot dont la pointe s'avance légèrement sur la petite plage de sable fin qui s'étale devant nous. Maman débarque la première sans se mouiller les pieds, puis elle hale le canot pour nous permettre de descendre à notre tour.

Une fois sur la rive, nous nous étirons un peu les jambes en observant les lieux. Nous buvons de l'eau, puis papa m'encourage à jeter un œil à la ronde : « Prends bien note de toute la médecine qui t'entoure et reviens me faire ton compte rendu. » Heureux de montrer à mon père les connaissances que j'ai acquises en ce domaine, je m'enfonce tout de suite dans les bois. Au bout d'une dizaine de minutes, j'ai repéré les bleuets, les sapins, les épinettes, les cèdres, les bouleaux, et toutes les autres plantes qui seront utiles à ma survie. Je reviens tout content vers notre petite plage et découvre avec consternation que le canot n'est plus là. Je suis pourtant certain d'être revenu à mon point de départ. C'est bien la même plage. Je lève les yeux vers l'horizon et, à mon grand désarroi, j'aperçois mes parents qui ont déjà pris le chemin du retour. Leur embarcation file sur la rivière et s'éloigne irrémédiablement de moi. Je les vois contourner la pointe qui s'avance au loin sur la droite, puis ils disparaissent sans jamais se retourner dans ma direction. Je suis atterré : « Ils sont partis sans m'embrasser ! Ils m'ont laissé ici sans même prendre le temps de me saluer ! Mais pourquoi ? Pourquoi ????? »

Leur départ subit et surtout le poids de ma solitude me tombent dessus comme si le ciel venait de s'écraser sur ma tête. Je me rends compte en un éclair de l'ampleur de mon épreuve, et la panique s'empare de moi. Je m'effondre au pied d'un arbre en pleurant. Mes parents, mes grands-parents et les autres anciens, mes frères et sœurs, mes oncles et tantes, mes cousins et cousines, nos chiens adorés…, tout ce beau monde n'est plus là pour m'entourer. Jamais je ne me suis senti si seul. Jamais je ne serai capable de m'en sortir !!!! Après avoir laissé couler toutes les larmes que j'avais en réserve, je n'ai plus d'énergie pour nourrir mon angoisse. Quelques sanglots secouent mon corps et j'essuie mon nez du revers de ma chemise, mais mes idées commencent à s'éclaircir. Comme dans un film, je revois et j'entends les anciens me montrer ce qu'il faut faire lorsqu'on installe un nouveau campement : d'abord allumer mon feu sacré que je ne laisserai jamais s'éteindre durant tout mon séjour, construire mon abri et ensuite me mettre en quête de nourriture. « Donne-toi tout, répète mon père dans mon esprit. Ne te laisse jamais manquer de quoi que ce soit dans la forêt. »

Mû par une énergie nouvelle, je ramasse d'abord le bois sec. J'en trouve en quantité dans le secteur. J'allume mon feu sans briquet ni allumettes. Comme les anciens me l'ont enseigné, je rassemble quelques brindilles sur une branche de bois de cèdre bien sèche. Au centre des brindilles, j'insère des écorces de bouleau très fines, puis je fais rouler rapidement entre mes mains, à la verticale, un bâton de cèdre dont la base est au centre de mon petit fagot. En peu de temps, la friction entre les morceaux de bois produit assez de chaleur pour embraser l'écorce et les brindilles. Ainsi apparaît mon feu sacré, au cœur de mon tout premier campement en solitaire.

Une fois mon feu allumé et nourri comme il se doit, j'érige un muret réflecteur d'un côté et, de l'autre, mon abri en forme d'appentis : deux branches en Y en guise de montants, trois autres pour former la charpente. De grosses branches de sapin bien touffues pour la toiture, puis d'autres un peu plus fines qui me tiendront lieu de matelas confortable et odoriférant. « Souviens-toi que tu dois laisser une prise d'air au fond de ton abri de survie, poursuit mon père dans mon esprit. Avec le muret de l'autre côté du feu, cette prise d'air aspirera la chaleur vers toi. Ainsi, tu n'auras jamais froid dans ton abri, même en plein hiver. »

Mon abri est désormais en place et je suis fier de mon travail. Je peux maintenant aller cueillir les bleuets que j'ai aperçus plus tôt, à quelques minutes de marche de la plage. Le jour ne tarde pas à baisser et, repu de succulents fruits, je m'endors facilement au creux de mon nid douillet de branches de sapin, réconforté par mon feu sacré.

La journée du lendemain se déroule sans encombre. Je fais des réserves de bois, trouve d'autres talles de bleuets, et je réussis même à chasser une perdrix. Comme les anciens me l'ont enseigné, je lui demande si elle veut me donner sa vie, puis je lance un bâton bien dur dans sa direction, visant la tête. Quand je vais vers elle, je vois qu'elle s'est donnée à moi. Pour nous, il est primordial de chasser en priant, tout en évitant la souffrance et le sang. La petite perdrix avait dit oui à ma prière. Je la fais rôtir sur les braises au bout d'une branche, puis, comme me l'avait conseillé mon père, je n'en mange que la moitié, le reste devant être offert à l'esprit que je suis venu chercher en ces lieux.

La fin de la journée me paraît plus longue que la veille. Maintenant que j'ai bien établi mon campement et trouvé à manger, je commence à m'ennuyer. Je décide de me coucher tôt : demain, j'explorerai plus avant les environs. Qui sait ? Peut-être tomberai-je sur des pistes d'ours. Avec tous les bleuets qu'on trouve par ici, ce ne serait pas étonnant.

❖

Je somnole tranquillement dans mon abri à la tombée de la nuit quand tout à coup j'entends bouger dans les taillis, à proximité du campement. Je suis sûr que c'est un animal. Je l'entends renâcler et faire les cent pas de l'autre côté de mon feu. Est-ce un renard ? Un loup ? Je n'arrive pas à le voir dans la pénombre. Je décide donc de bien alimenter mon feu, dans l'espoir d'obtenir un peu plus de lumière. Pendant que je m'affaire à cette tâche, l'esprit surgit des buissons sans crier gare et m'apparaît dans toute sa splendeur : *mak8a* est là, l'ours, à quelques mètres, en chair et en os, et surtout de bien mauvaise humeur. De toute évidence, il est contrarié par ma présence sur son territoire. Il se dresse sur ses pattes de derrière, me lance un grognement de mécontentement et repart en courant dans les bois. Le cœur battant, j'ajoute encore plus de bois dans mon feu et ne bouge plus, sachant que *mak8a* n'osera pas s'approcher des flammes. J'agrippe tout de même mon long bâton de marche. Je sais qu'on peut se protéger en pointant un tel bâton près du museau d'un animal. Ce dernier a soudain l'impression que l'humain devant lui devient très gros, ce qui le déroute et l'effraie. C'est un excellent subterfuge qui ne fait de mal à personne.

Au bout de quelques minutes, mon ami mécontent revient en trombe. Comme je l'avais prévu, il ne s'en prend pas à moi, car je suis trop près du feu à son goût. Il décide plutôt de démolir mon abri. En quelques coups de patte, il envoie voler les branches de sapin, et toute la structure de l'appentis s'écroule. Il se dresse à nouveau sur ses pattes, me signifiant bien fort sa colère, puis il détale dans la forêt. Je ne bouge plus pendant un bon moment, ébranlé par la démonstration de force de ce prodigieux animal. Pour notre premier rendez-vous, *mak8a* n'a décidément pas mis de gants blancs !

Maintenant que le silence de la nuit m'enveloppe de nouveau et que l'ours ne semble plus vouloir se manifester, les enseignements du castor me reviennent en mémoire. Que font les castors lorsqu'on détruit leur barrage ou leur maison ? Ils reconstruisent tout immédiatement, sans tergiverser. Persévérant comme un castor, je remets donc tout en place sans attendre. En moins d'une heure, me revoici au chaud dans mon nid douillet. Épuisé par ce début de nuit fort en émotions, je dors du sommeil du juste.

❖

Je me réveille bien tard le lendemain matin et la journée se déroule lentement, entre la cueillette des racines (nourriture bien connue des nôtres), des bleuets et du bois qu'il faut aller chercher de plus en plus loin. Tous les jours, je prends le temps de prier au lever du soleil et de faire mes offrandes de cèdre, afin de remercier le Créateur pour toute la médecine et la nourriture qu'il place sur mon chemin.

Le soir venu, je chante doucement auprès de mon feu sacré. Tout à coup, qu'est-ce que j'entends dans les buissons ? Les renâclements ! *Mak8a* est de retour !

« *Manto mak8a*, calme-toi, lui dis-je dans ma langue. J'aimerais être ton ami. Je viens ici pour te rencontrer et te demander de… »

*Mak8a* n'a que faire de mes explications. Comme hier, il pique une sainte colère. Tandis que je me réfugie à proximité du feu, il se précipite sur mon abri et se défoule. Il est furieux ; mes paroles ne semblent pas du tout l'apaiser. Comme hier, il repart en courant et ne reviendra plus du reste de la nuit. Et moi, suivant encore l'exemple des castors, je reconstruis mon abri patiemment.

Le soir suivant, l'ours revient une troisième fois me livrer son message, en s'y prenant exactement de la même manière. Et je répare les dégâts sans tarder. C'est devenu notre petit jeu.

Cependant, la nuit suivante, *mak8a* ne revient pas. Pas de séance de démolition, pas d'accès de colère, aucun bruit dans les buissons. Rien. Bizarrement, la nuit me semble très longue. Et que dire de la journée suivante ? À vrai dire, même s'il se montrait menaçant, je commençais à apprécier les visites de mon nouvel ami. À sa façon, il mettait du piquant dans mon séjour en solitaire. Cette fois, je n'ai plus personne pour me tenir compagnie et, à mesure que la journée s'étire, le doute s'insinue dans mon esprit. Peut-être m'y suis-je mal pris avec *mak8a*. Peut-être l'ai-je fait fuir pour de bon. Peut-être aurais-je dû monter mon piège bien avant et lui demander sa vie sans attendre. Est-ce que je viens d'échouer mon épreuve ?

C'est sur ces inquiétudes de plus en plus pressantes que je m'endors au cinquième soir de mon initiation de jeune homme-médecine. Cependant, la nuit me porte conseil, et le lendemain matin je réfléchis mieux. En dégustant les petites plantes comestibles qui poussent près de mon campement, je finis par comprendre que *mak8a* me rend visite la nuit parce qu'il dort le jour. Très jeune, on m'a enseigné qu'il faut toujours se méfier des mamans ourses qui peuvent devenir féroces si nous passons par mégarde entre elles et leur progéniture. Dans ce cas-ci, il s'agit d'un jeune mâle. Si ma présence provoque chez lui une telle irritation, c'est que je dois me trouver très proche de sa tanière. Je décide donc de partir à sa recherche le matin même, désormais persuadé que l'esprit ne se trouve pas très loin.

❖

En observant bien les branches qu'il a cassées sur son passage, je ne tarde pas à trouver des empreintes. Au bout de quelques minutes, je repère ce qui pourrait bien être son antre. Sous un monticule de roches, une ouverture semble mener à une cavité assez grande et profonde. De plus, je remarque dans la terre les traces de nombreuses allées et venues, et une odeur caractéristique monte de ce trou. Il n'y a pas de doute : un animal sauvage vit dans cette tanière. S'agit-il de mon ours ? Mon intuition me dit que oui, mais comment en être sûr ?

J'ai tout à coup l'idée de reprendre notre petit jeu là où nous l'avions laissé. Quand *mak8a* venait faire un tour chez moi, il aimait bien s'en prendre à mon abri. Alors, pourquoi ne ferais-je pas la même chose ? Puisque le chiffre sept est apprécié dans notre tradition, j'aligne donc sept pierres bien rondes devant sa porte. D'un coup de pied, je balance la première pierre dans la tanière. Je l'entends rouler et s'arrêter au fond du trou, sans plus. Je continue : deux, trois, quatre… À la cinquième pierre, j'atteins la cible. J'entends un grognement et je reconnais mon ours. À la hâte, j'envoie les deux dernières pierres au fond de la tanière, puis je décampe à toute vitesse. Je me retourne à quelques reprises, mais je ne vois rien derrière. J'arrive au campement à bout de souffle et m'empresse de remettre du bois dans mon feu, mais tout reste calme. L'esprit ne m'a pas poursuivi.

❖

Nous en sommes maintenant au septième jour de mon initiation. La nuit a été calme et j'ai bien dormi. Une fois le soleil assez haut au-dessus des montagnes, je me mets en marche vers la tanière. Il me tarde de retrouver *mak8a*. Plus les jours avancent, plus je suis en communion avec lui. Je lui parle à distance et je prie : «*Manto*, je t'offre de devenir mon soutien et ma médecine principale pour le reste de mes jours. Si tel est ton souhait et celui du Grand Esprit, donne-moi ta vie. Je te promets qu'en échange je te resterai fidèle à jamais.»

J'arrive enfin devant la tanière. Quelle n'est pas ma surprise de constater que les sept pierres que j'avais fait rouler dans le trou en sont toutes ressorties! *Mak8a* les a roulées une à une hors de sa tanière! Comme moi (ou comme les castors!), il a patiemment réparé son habitation. Puisque mon ami a détruit mon abri à trois reprises, je ferai de même. Je repousse donc les pierres à nouveau dans son antre, et je refais la même chose le lendemain.

Au huitième jour de mon initiation, je sens que le temps est venu d'agir. Après m'être prêté à notre petit scénario des sept pierres, je dépose du cèdre devant la tanière et demande une dernière fois à l'ours sa vie : «*Manto*, je suis maintenant prêt à construire mon piège. Si tu es d'accord pour devenir mon esprit de la médecine, je t'attends. Si tu ne visites pas mon piège, j'accepterai ta décision.»

Je m'affaire donc à monter le piège, tel que mon père me l'a ensei-gné[32]. Je place un tronc d'arbre sur le sol, puis, vis-à-vis, je dispose trois autres troncs en diagonale, simplement soutenus par un bout de bois bien solide. Ce bout de bois est relié par une racine fine à un appât. Pendant mes diverses rencontres avec *mak8a*, j'ai pris soin de bien l'observer et d'estimer la longueur de sa patte. Ce détail est primordial dans la préparation du piège à ours. En effet, l'ours n'étire que la patte pour saisir de la nourriture dans un piège, il n'y engage jamais tout son corps. Sachant cela, je bâtis mon piège à sa taille. Ensuite, je place l'appât, en l'occurrence l'autre moitié de la perdrix que j'ai chassée l'autre jour. Lorsque l'esprit saisira l'appât, il déclenchera le piège. Les troncs du dessus s'abattront sur son dos et lui écraseront le thorax contre le tronc placé sur le sol. Comme il se doit, la mort sera instan-tanée, sans souffrance ni sang versé. Finalement, je couvre de branches de sapin tous les côtés de mon piège, excepté l'entrée, puis, après une dernière prière, je retourne à mon campement.

---

32. Voir l'illustration à la page 101.

Au neuvième lever du soleil, il me tarde de voir si *mak8a* a accepté de m'accompagner pour la vie. Le cœur battant, je marche jusqu'au piège près de la tanière. À mon arrivée, je m'arrête net, ahuri. Je n'ose y croire, mais le corps d'un ours repose, immobile, entre les troncs écroulés de mon piège. Je m'approche lentement, puis j'aperçois sa tête à l'intérieur. Son œil vitreux est ouvert et me confirme que l'esprit a bel et bien accepté de s'offrir à mon existence ! Je m'assieds sur une pierre et reste longtemps en contemplation devant cette scène. Ce n'est pas la première fois que j'affronte la mort d'un animal. Cet apprentissage fait partie de la vie de n'importe quel jeune chasseur anicinape. Néanmoins, nous capturons très rarement l'ours, car nous respectons cet esprit au plus haut point. Même s'il peut nous offrir sa viande, nous n'en avons pas absolument besoin. Quoi qu'il en soit, je comprends peu à peu que je viens de réussir mon épreuve. Je suis ému de découvrir que l'esprit a accepté l'alliance que je lui proposais. Je suis encore plus ému en songeant aux conséquences de cette réussite. Le sort en est jeté : je suis devenu un homme, j'avance sur les traces de mes prédécesseurs, engagé davantage sur le chemin de la médecine.

Je remercie longuement *mak8a* et le don incommensurable qu'il vient de me faire. Je dépose du cèdre tout autour de son corps, puis je prélève soigneusement deux griffes que j'emporterai avec moi : une pour papa et l'autre pour maman.

Je retourne à mon abri pour tout nettoyer et éteindre mon feu, puis je me mets en route. L'épreuve est terminée, il est temps d'aller retrouver mes parents pour leur annoncer la grande nouvelle. Le cœur et le pas légers, je mets le cap sur le campement où ils se sont installés. Je n'ai que 12 ans, mais je m'oriente désormais dans la forêt avec facilité. Je n'ai pas besoin de longer la rivière pour retrouver mon chemin. Je progresse en ligne droite à travers la montagne. Après une bonne demi-journée de marche, j'arrive à destination et trouve mon père assis au bord de la rivière. Ce matin-là, *Kitci* T8amy avait pressenti l'arrivée imminente de son fils. Pendant les neuf jours de cette initiation, il était resté en communion étroite avec moi par la prière. Comme tous les grands *Okima* de sa trempe, son intuition était si affinée qu'il pouvait rester ainsi en contact avec les gens, s'il le voulait.

Sa seule petite erreur a été de croire que j'arriverais en longeant la rivière. Il me tournait donc le dos lorsqu'il m'a entendu arriver. Sans se retourner, ses premières paroles ont été :

«*Kin na, Kapiteotak ?* C'est toi, Kapiteotak ? *Aca na Manto ki pi na ?* As-tu réussi à rapporter l'esprit ? »

Sans dire un mot, je me suis approché de lui et lui ai fièrement tendu une de mes griffes d'ours. Il était encore plus fier que moi et il m'a serré si fort dans ses bras que j'en ai presque perdu le souffle.

«Emma ! Emma ! *Pican !* Viens voir qui est là et le cadeau qui t'attend ! »

Après les effusions de joie et de larmes provoquées par ces retrouvailles magiques, nous retournons tous les trois en canot jusqu'à mon campement. Il ne faut pas laisser l'esprit seul dans son piège plus longtemps. Sur notre parcours, je raconte en détail chacun des épisodes de mon étonnant duel avec *mak8a*. Mes parents ont l'impression d'écouter un feuilleton, comme ceux qu'on entend parfois à la radio. À notre arrivée, nous allons tout de suite à la rencontre de mon ours qui nous attend dans toute sa force silencieuse. Papa et moi défaisons soigneusement le piège, puis c'est à maman que revient la tâche de remercier l'esprit par de longues prières. Elle s'installe devant sa tête, dépose du cèdre et de l'eau sur le sol en lui parlant dans la langue des Mami8innis. Puis elle s'attarde en plusieurs points tout autour du corps de *mak8a*. De temps en temps, elle verse des larmes pour cet animal si attachant et pour le sacrifice immense qu'il vient de faire.

Au bout de longues minutes de prière, nous sommes prêts à ouvrir le corps. Nous retirons la peau, prélevons toutes les parties comestibles et rassemblons les os avec minutie. Tout doit servir. Jamais nous ne laissons quoi que ce soit derrière, après un tel don. Par la suite, nous rentrons à 8akocik, où les membres de la petite communauté font la fête avec nous et se régalent de la viande que nous avons rapportée. Une autre partie de la viande sera fumée et nous la partagerons plus tard avec mes frères et sœurs qui ignoreront tout des véritables circonstances de la capture de l'ours. S'ils lisent ce livre, plusieurs d'entre eux se souviendront peut-être de ce joyeux festin, et ils découvriront ce que nous avions dû leur cacher à l'époque, par peur de représailles.

❖

Plusieurs années après cette fameuse initiation, j'ai appris que mes parents m'avaient aidé plus que je ne l'avais cru. Le premier jour de mon épreuve, lorsque je me suis retrouvé tout seul sur ma petite plage, ils n'avaient pas quitté les lieux si vite. En réalité, ils s'étaient cachés pendant plus de deux heures de l'autre côté de la pointe, en attendant de voir s'élever de la fumée de mon campement. Constatant alors que je m'étais mis à l'ouvrage, un peu plus rassurés, ils avaient mis le cap sur le campement de 8akocik. Mon père ne m'avait pas non plus déposé en ce lieu par hasard. Il avait d'abord exploré le secteur et avait repéré la tanière de l'ours. Il avait même abattu quelques arbres à proximité, pour que je m'en serve pour construire mon piège. J'avais bien vu que ces troncs avaient été laissés là par des hommes, mais jamais je ne m'étais douté qu'il s'agissait d'un coup de pouce de mon père. Durant toute mon initiation, mes parents n'avaient cessé de prier pour moi et pour l'esprit appelé à me donner sa vie. J'avais peut-être eu l'impression d'être abandonné, au départ, mais en réalité c'était tout le contraire.

Un demi-siècle après l'initiation de mes 12 ans, j'appartiens sans conteste au clan de l'ours. Son crâne trône sur le tertre aménagé devant ma hutte de sudation; il en est le protecteur. Quant à la fourrure de *mak8a*, elle m'accompagne dans toutes mes cérémonies. Je ne compte plus les personnes qui se sont étendues dessus pour se connecter à l'esprit de l'ours, que ce soit lors d'un traitement ou pour une bonne nuit de sommeil. Aujourd'hui, *mak8a* perd un peu ses poils, car il a beaucoup voyagé, mais il est omniprésent dans mon travail et je prends encore plaisir à raconter l'incroyable histoire de notre rencontre.

*Mik8etc, Manto Mak8a!* Merci pour tout!

# Sixième Feu

*Sois fier de qui tu es*

Le prophète du Sixième Feu a dit au peuple :

« Pendant le Sixième Feu, il sera devenu évident que les promesses du Cinquième Feu étaient fausses. Ceux qui auront été trompés éloigneront leurs enfants des enseignements des sages. Ces petits-fils et petites-filles se retourneront contre les sages. Pour cette raison, ceux-ci perdront leur raison de vivre. Ils perdront leur rôle dans la vie. Une nouvelle maladie apparaîtra alors parmi le peuple. L'équilibre de plusieurs sera dérangé. La coupe de la vie sera presque renversée. La coupe de la vie deviendra presque la coupe de l'amertume. »

Quand ces prédictions furent faites, plusieurs ne crurent pas les prophètes. Les gens possédaient les remèdes nécessaires pour éloigner la maladie. Ils étaient en bonne santé et heureux. Comme ils avaient choisi de rester derrière lors de la grande migration des Anicinapek, ces gens furent les premiers à entrer en contact avec la race à la peau blanche. Ils en souffrirent davantage.

Quand vint le Sixième Feu, les paroles du prophète s'avérèrent justes. Les enfants furent privés des enseignements des sages. L'ère des écoles qui civilisaient les enfants indiens avait commencé. Le langage des Indiens et leur religion furent enlevés aux enfants. Les gens commencèrent à mourir jeunes. Ils avaient perdu la volonté de vivre.

Pendant l'ère confuse du Sixième Feu, il est dit qu'un groupe de visionnaires vint chez les Anicinapek. Ils convoquèrent tous les prêtres du *mitete8in* et leur dire que leur méthode était en danger d'être détruite. Ils rassemblèrent donc tous les objets sacrés, tous les écrits cérémoniels, et toutes ces choses furent placées à l'intérieur d'une bûche de bois-de-fer creusée. Des hommes furent suspendus du haut d'un grand rocher par de longs câbles. Ils creusèrent un trou dans le rocher et y cachèrent la bûche. C'est ainsi que les enseignements des sages furent soustraits à la vue des hommes, mais gardés en mémoire. Il fut dit que, quand les Indiens pourraient de nouveau pratiquer leur religion sans avoir peur, un petit garçon verrait en rêve la cachette de la bûche pleine des objets sacrés et des écrits. Et il guiderait son peuple à cet endroit.

M e voici à l'âge de 14 ans, de retour à Saint-Marc-de-Figuery pour une sixième année. Mon corps s'est bien développé et j'ai mûri. Du point de vue anicinape, je suis déjà un jeune homme. De toute manière, compte tenu de notre réalité au pensionnat, j'ai dû vieillir rapidement.

Il va sans dire que, durant ces six années, la violence a fait rage à l'intérieur de nos murs. Il est un jour devenu évident qu'il nous fallait réagir. Plusieurs ont tenté d'obtenir de l'aide pendant les vacances d'été, mais aucun adulte ne voulait nous croire. «Comment osez-vous parler ainsi des religieux? répondaient nos parents indignés. Ce sont des hommes et des femmes de Dieu. Vous leur devez le plus grand respect!»

Au début, nous prenions plaisir à défier l'autorité en volant de la nourriture ou en nous éclipsant durant les siestes. Parfois, nous arrivions même à nous esquiver en pleine nuit. Nous allions jouer au basketball dans la cour ou nous visitions les jeunes femmes anicinapek (dont deux de mes cousines) qui avaient été embauchées par le pensionnat pour aider à la cuisine et aux tâches ménagères. Nous nous sauvions par une fenêtre et, en escaladant la croix de la chapelle, nous arrivions à nous introduire dans leurs chambres à la tombée de la nuit. Nous passions plusieurs heures agréables en leur compagnie à bavarder, fumer des cigarettes et écouter du *rock and roll* à la radio, puis nous retournions en douce·dans notre dortoir avant l'aube. Évidemment, nous avons fini par nous faire prendre.

« Vous avez passé la nuit avec des jeunes femmes sans défense, ont déclaré les frères en nous faisant toute une scène. Vous avez commis des gestes irréparables. Vous les avez violées ! »

C'est à ce moment que, pour la première fois, j'ai entendu le mot « viol ». Nous n'avions pourtant rien fait de mal à nos cousines et nos amies, mais nous savions désormais comment nommer ce que certains frères nous faisaient subir depuis de nombreuses années.

❖

Avec le temps, ce besoin de commettre de simples incartades s'est transformé en nécessité de se rebeller. À bien y penser, c'est peut-être Tommy Wylde qui, le premier, m'a incité à ne plus me laisser faire. Ce jour-là, nous devions pour la millionième fois répondre à l'appel de notre numéro pour rentrer dans le pensionnat après la récréation. Parce que Tommy avait traîné plus longtemps que les autres dans la cour d'école, le frère Boivin l'avait menacé avec un bâton de hockey. (Maintenant que nous étions plus grands et plus forts, les missionnaires avaient recours à ces sortes d'armes pour nous frapper.) Cette fois, Tommy en a eu assez et, d'un geste vif, il a arraché le bâton des mains du frère, l'a brisé sur sa cuisse et a remis les deux morceaux au religieux. « Ne me touche plus jamais ! », a dit Tommy en regardant le frère Boivin droit dans les yeux. Dès lors, les religieux ont commencé à avoir peur des pensionnaires les plus âgés. D'ailleurs, ils ne nous agressaient plus sexuellement, mais ils continuaient de violer les plus jeunes sans retenue.

Convaincus qu'il fallait maintenant nous défendre, nous nous réunissions en secret dans les bois pour fomenter nos plans d'action et endurcir notre corps. Nous avions notamment pris l'habitude de frapper les arbres de nos avant-bras pour nous entraîner à contrer les coups de bâton. De plus, nous avions réalisé que, même si nous les attaquions, les pédophiles ne pouvaient pas porter plainte à la police, car ils craignaient certainement d'être démasqués. Nous avons donc prévenu les plus jeunes que, en cas de viol, ils ne devaient pas hésiter à nous avertir. Nous les protégerions.

Or, s'il est une règle de base quant à la pédophilie, c'est bien celle du silence. C'est connu, les victimes de viols répétés sont constamment en proie à la peur et à la honte. De ce fait, rarement les enfants sont-ils venus à nous pour dénoncer leurs agresseurs. Qu'à cela ne tienne, point n'était besoin pour eux de nous parler ouvertement. Aussitôt qu'un crime avait été commis, nous pouvions très bien lire sur le visage des jeunes victimes l'empreinte laissée par les gestes dégradants des missionnaires. Dès que nous apercevions un enfant seul en train de pleurer ou savourant tristement des bonbons dans un coin, nous savions de quoi il retournait. Trop souvent, les blessures infligées par les religieux pédophiles étaient non seulement psychologiques, mais aussi physiques. Encore une fois, je ne veux pas entrer dans le détail, mais il faut comprendre que nos agresseurs n'y allaient pas de main morte et que plusieurs enfants souffraient de lésions corporelles à la suite des viols. Une seule question nous importait alors : « Qui t'a fait ça ? »

Il ne nous fallait qu'un nom. Dès que les enfants parlaient, nous passions à l'action. Le repas du midi au réfectoire était notre moment de prédilection. Tous les élèves étaient attablés, les garçons d'un côté et les filles de l'autre. Les religieux et religieuses mangeaient près de nous, mais enfermés dans des salles vitrées. Les jours de dénonciation, quelques braves attendaient fébrilement que je me lève au milieu du repas pour donner le signal. Dès lors, il ne fallait plus perdre une seconde. Nous foncions vers une des deux salles vitrées pour attraper le frère ou la sœur qui venait de violer un enfant, puis nous l'entraînions dans la salle à manger des élèves. Des garçons empêchaient les autres religieux de sortir de leurs salles, puis devant tout le monde nous dénoncions les actes malsains. À quelques reprises, nous avons infligé aux coupables à peu près le même traitement qu'ils nous faisaient subir, en déchirant leurs vêtements dans la grande salle et en leur enfonçant la tête dans une poubelle que nous avions remplie de mélasse, de sable et d'autres matières ayant pu nous tomber sous la main.

Ce petit manège durait déjà depuis un bon moment, mais sans résultat significatif. À vrai dire, les choses ne cessaient de s'envenimer. Les pédophiles semblaient ne pas pouvoir contrôler leurs bas instincts. Après toutes ces années à nous souiller, ils avaient même transmis leur maladie à certains élèves qui, à leur tour, violaient les plus jeunes. D'autres garçons ressentaient désormais le besoin de vivre leur sexualité entre eux dans les bois. Bref, nous étions plongés en pleine noirceur, et un jour j'ai confié à mes amis que j'étais maintenant prêt à tuer, s'il le fallait. Quelle autre solution nous restait-il ?

À la vérité, je songeais à une autre possibilité. Ma souffrance était devenue si insupportable que j'en étais venu à souhaiter ma propre mort. Et puis, un beau jour, je me suis senti prêt à passer aux actes. J'ai réussi à m'enfuir dans la forêt avec une solide corde que j'avais trouvée dans l'atelier des travaux manuels, bien décidé à me pendre. Cependant, plus je m'enfonçais dans les bois, plus mon esprit anicinape reprenait des forces, et moins j'étais séduit par mes idées suicidaires. Je me sentais tellement comblé par la présence des arbres et des autres habitants de la forêt que je retrouvais le goût de vivre. Je suis resté là longtemps, à méditer sur mon sort et à me convaincre qu'il fallait tenir bon : un jour, je finirais par sortir de cette école maudite. Avec un peu de patience, je pourrais enfin voler de mes propres ailes et me forger une existence agréable. Ayant rassemblé en moi suffisamment de courage, j'ai repris lentement le chemin du pensionnat. Arrivé devant l'entrée, la nuit venait de tomber et toutes les portes étaient fermées à clé. « Si je ne peux plus rentrer au pensionnat, pensai-je, il ne me reste plus qu'un endroit où aller : chez nous, à Amos ! » J'ai donc décidé de rentrer à la maison, peu importe la distance à franchir, et une fois là-bas j'expliquerais à mes parents que je ne pouvais absolument plus vivre au pensionnat.

Après deux nuits en forêt et un peu plus d'un jour de marche, Amos était en vue. Ce trajet en forêt n'était pas très difficile pour moi, bien au contraire ! Je savais comment m'orienter et me nourrir, et cette escapade en pleine nature me procurait un plaisir intense. À un moment donné, j'ai débouché de la forêt dans un cimetière, où des centaines de Blancs et d'Anicinapek étaient enterrés. Puis, j'ai décidé de marcher le long de la route principale menant à Amos. Malheureusement, au bout de quelques minutes, des policiers qui passaient par là m'ont interpellé et m'ont fait monter dans leur voiture. « Comment t'appelles-tu ? Où vas-tu comme ça, seul sur la route ? Parles-tu français ? » Après six ans de pensionnat, je comprenais très bien la langue des 8emitekoci, mais j'avais décidé de garder le silence. « Je sais qu'un Sauvage habite non loin d'ici, dit l'un des deux policiers. Allons d'abord chez lui. »

La voiture s'est arrêtée devant une maison toute défraîchie et les policiers m'ont fait descendre. Ils ont frappé à la porte et celui qui nous a ouvert était un homme que je connaissais très bien : M. Hector Polson, le grand ami de mon père.

« *Kapiteotak, ati ka ecaian ?* Mais d'où viens-tu ? me demanda-t-il dans notre langue.

— Je me suis enfui du pensionnat », lui dis-je à mon tour en anicinape.

Puisque M. Polson ne parlait pas français et que je persistais à ne rien leur dire dans cette langue, les policiers m'ont emmené chez un autre Sauvage. Arrivé devant cette maison, qui vois-je apparaître ? Mon père ! Mes parents avaient encore déménagé et j'ignorais qu'ils habitaient là. Je suis sorti de la voiture et me suis précipité dans les bras de papa. Je tentais de lui expliquer ce qui m'arrivait, mais les mots se bousculaient maladroitement. De toute façon, mon père était loin de se montrer compatissant. Contrarié par ma fugue et par la présence des policiers, il restait insensible à mes supplications. J'avais beau lui expliquer que, si je retournais au pensionnat, je pourrais devenir très violent, il ne voulait rien entendre. Puis il a mis un terme à la discussion en décrétant d'une voix tranchante :

« Tu vas retourner à Saint-Marc et terminer ce que tu as à terminer. »

Je ne suis pas fier de ce qui a suivi, mais le fait est que, une fois de retour au pensionnat, j'ai explosé à la première occasion. Je m'en suis pris si violemment à un frère qui voulait me punir que les responsables du pensionnat m'ont fait arrêter. Et c'est ainsi que j'ai été cité en justice.

Je suis au palais de justice d'Amos. J'attends en silence dans un local adjacent à la salle d'audience. La porte s'ouvre et un juge fait son entrée. Quelqu'un le suit et je découvre avec étonnement qu'il s'agit de mon père ! J'ignore si sa présence doit davantage me troubler que celle du juge, mais je reste stoïque. Pour moi, ce qui s'apprête à se passer ici n'est qu'une étape parmi d'autres, sur la pente raide qui me rapproche de l'enfer. Depuis le jour maudit où nous avons été admis au pensionnat, jamais personne n'est venu à notre secours et les choses se sont sans cesse aggravées. Pourquoi en serait-il autrement aujourd'hui ?

« C'est bien ton fils ? », demande le juge à mon père.

J'apprendrai plus tard que le magistrat connaissait déjà papa, qui lui avait parfois servi d'interprète dans les causes impliquant des Anicinapek. Les deux hommes avaient appris à s'apprécier mutuellement et se respectaient beaucoup.

« Oui, répond mon père. Il s'appelle Dominique. On m'a dit qu'il est responsable de toute cette affaire.

— Est-ce bien vrai ? demande le juge en se tournant vers moi. C'est toi qui as battu le frère Boivin ?

— Oui, c'est moi. »

S'ensuit toute une série de questions du juge qui m'encourage de plus en plus à parler. Pour la toute première fois en six ans, quelqu'un m'écoute attentivement et semble comprendre la gravité des sévices que nous avons dû endurer au pensionnat. Au bout de cette longue séance d'aveux, le juge finit par déclarer :

« Sortez cet enfant d'ici. Je ne veux plus le voir au palais de justice ni au pensionnat de Saint-Marc. Il ira désormais à l'école publique. »

Je n'en crois pas mes oreilles. Puis, s'adressant à mon père, il ajoute :

« Tom, je veux que tu restes avec moi. Tu dois faire une déclaration et porter plainte à la police. Cela a assez duré. »

Peut-être le juge avait-il eu vent des atrocités commises dans notre établissement. Peut-être y avait-il plus d'adultes au courant des agissements des missionnaires que nous ne le croyions. Quoi qu'il en soit, j'ai l'impression que la vérité avait fait son chemin jusqu'à Amos et que quelques honnêtes citoyens avaient eu le courage de l'entendre. Le juge attendait peut-être tout simplement une occasion pour intervenir.

Mon père, d'abord incrédule, prit bientôt conscience de l'horreur de la situation. Décontenancé et repentant, il déposa une plainte contre les religieux. J'ignore ce qui se produisit par la suite, mais au bout d'un certain temps plusieurs religieux quittèrent le pensionnat. À partir de ce moment, des professeurs laïques furent engagés, ce qui allégea grandement l'atmosphère entre ces murs, paraît-il. Malheureusement, selon les pensionnaires, il y eut parfois d'autres viols. De plus, certains des religieux fautifs furent plus tard envoyés par leurs supérieurs dans des réserves amérindiennes, où ils continuèrent d'agresser sexuellement les enfants. Nous fûmes témoins de leur arrestation, des années plus tard.

❖

Libre, je suis libre ! Éberlué, je sors du palais de justice d'Amos. Le vent a tourné en ma faveur. Ce revirement est si inespéré ! C'est comme si mes prières avaient enfin été exaucées ! Est-ce toi, Mino Manito, qui m'a entendu ? Ou bien toi, Dieu du ciel ?

Quand je fais mon entrée à l'école publique, jamais je n'ai vu tant de Blancs de mon âge en un seul lieu. Quelques élèves anicinapek sont tout de même présents. Les jours passent et nous n'osons pas vraiment nous adresser aux Blancs, même si nous connaissons bien leur langue. Après tout, ce sont des sauvages ! En tout cas, c'est ce qu'affirmaient nos professeurs au pensionnat. Avec le temps et, surtout, grâce à la bonté de certains jeunes Blancs, des ponts commencent doucement à s'établir entre nous. Certains Blancs sont ouverts et curieux de découvrir qui nous sommes véritablement. Notre génération ne croule plus sous les diktats des autorités, comme les générations qui nous ont précédés. C'est nous qui commencerons à faire tomber les tabous.

« Il paraît que vous êtes des sauvages ? demandent les jeunes Blancs avec un sourire complice.

— Mais non, vous êtes les sauvages !», leur expliquons-nous en leur racontant les sornettes des missionnaires.

Nos nouveaux amis nous ouvrent tout à coup la porte sur un monde de découvertes et de possibilités jusque-là totalement inaccessibles à notre peuple. Nous sommes au début des années 1960. On nous initie à la musique de Ray Charles, des Platters et de Chubby Checker. On nous apprend à danser le twist et à nous balader dans les rues de la ville en décapotable. Grâce aux jeunes générations et aux personnes ouvertes d'esprit, comme le juge d'Amos, le regard des Blancs se transforme tranquillement. Depuis 1960, nous avons le droit de vote. Les interdictions d'autrefois sont levées et bientôt nous pouvons vivre un peu plus librement. Je me rappelle encore la toute première fois où j'ai pu entrer dans un snack-bar avec des amis. C'était peu de temps après ma sortie du pensionnat. J'avais commandé une orangeade à 15 cents. Bien calé dans ma banquette, sirotant à la paille ma boisson gazeuse en bouteille, j'observais tout afin de pouvoir raconter en détail mon expérience à mes parents.

Un jour, mes sœurs et frères les plus âgés avaient souhaité découvrir ce qui se passait dans les débits de boissons. Nous nous étions entassés avec mes parents dans la vieille voiture que mon père venait d'acheter, puis nous avions laissé les plus vieux entrer dans un bar et avions attendu pendant une heure ou deux dans l'automobile, curieux de savoir comment les choses se passaient dans cet établissement. Verdict de mes sœurs et frères au sortir du bar : « Ils sont tous fous, là-dedans ! Ils boivent de l'alcool simplement pour s'amuser et finissent tous par avoir l'esprit dérangé ! »

Plus le temps passait, plus les Anicinapek de mon âge souhaitaient participer à l'immense vague de changements qui déferlait non seulement sur notre peuple, mais sur l'Occident tout entier. Mes sœurs et frères aînés désiraient ardemment se vêtir, se coiffer et travailler comme les Blancs de leur génération. J'avais fortement envie de goûter à ce mouvement grisant moi aussi, mais mes parents tenaient à me maintenir dans le droit chemin de la médecine traditionnelle. Je me souviens que, un soir, ma sœur aînée s'était interposée avec énergie pour me défendre : « Laissez-le donc vivre comme tout le monde ! Laissez-le sortir et souffler un peu ! » Sous la pression ambiante, mes parents avaient cédé. Ils m'ont laissé vivre ma jeunesse, comme les autres, en espérant que je me lasserais vite de ce monde superficiel et que la compagnie des anciens me manquerait tôt ou tard.

Pendant ces années où j'ai plongé à fond dans la vie palpitante de l'époque, j'ai été notamment champion de *rock and roll*. Avec mes sœurs, nous participions à des concours d'amateurs. Avec mes souliers pointus, mes pantalons en fuseau et mes cheveux bien léchés, je faisais virevolter mes sœurs au son de la musique de Bill Haley, de Little Richard ou du grand Elvis Presley. Nous étions si agiles et fringants que nous sommes même devenus les protégés des propriétaires du très populaire Club Dragon d'Amos, qui nous acceptaient même si nous n'avions pas encore 18 ans et qui nous trimbalaient à leurs frais dans les villes voisines, pour que nous puissions être de tous les concours. Comme nous n'avions pas encore l'âge légal pour fréquenter ces établissements, les patrons nous avaient concocté un plan d'évacuation ingénieux en cas de descente de police. Ils avaient érigé un mur de caisses de bières dans l'immense frigo derrière le bar. Si les policiers débarquaient, nous n'avions qu'à tirer deux caisses pour nous faufiler dans une cachette, replacer les caisses derrière nous et attendre que les patrons viennent nous chercher après la descente. Le seul inconvénient, c'est qu'il faisait un froid de canard dans notre planque et que nos habits à la mode étaient loin de nous tenir au chaud !

Le fossé intergénérationnel continuait de s'élargir chez les Anicinapek. Les jeunes de mon âge se montraient souvent impatients et intolérants envers nos parents qui s'entêtaient à maintenir les traditions anciennes, alors que nous avions envie de mener une vie moderne, prospère et exaltante ! Nos parents étaient impuissants face à ces grandes transformations sociales qui dépassaient les limites de leur foyer. Au bout du compte, mon frère aîné a réussi à devenir pilote d'avion et mes sœurs — magnifiques princesses indiennes durant leurs belles années ! — se sont toutes mariées avec des Blancs, ont eu de beaux enfants et vécu dans de belles maisons. Malheureusement, un grand nombre d'Anicinapek, rongés par les souvenirs du pensionnat, ont subi les ravages de l'alcool et de la drogue. Trop souvent, leur misère s'est soldée par le suicide.

Dans ma famille, nous avons dû accepter la fin tragique de mon frère Willy. Il avait sombré dans l'alcoolisme et un jour on l'a retrouvé mort dans un fossé. Ma sœur et moi avons eu la lourde tâche d'identifier son corps à la morgue. Ma mère nous avait déjà quittés à cette époque, mais mon père est resté marqué par cette dure épreuve. Perdre un enfant va toujours à l'encontre de l'instinct maternel ou paternel. Perdre un enfant qui s'autodétruit lentement et dont on retrouve un jour le corps gelé au bord de la route est encore plus éprouvant.

De l'âge de 14 à 18 ans, je suis moi-même devenu un ami fidèle de la bouteille. Je peux maintenant affirmer que j'ai largement contribué à la fortune de la brasserie Molson[33] ! J'ai bu dans l'espoir d'oublier mes problèmes. Au bout de quelques années, j'ai cependant vu que cette habitude m'enfonçait davantage dans mes malheurs. Puis, comme l'espéraient mes parents, mon goût pour la danse, l'alcool et les bars a fini par s'estomper. Même si je trouvais facilement toutes sortes de boulots me permettant de gagner pas mal d'argent et que j'avais des tas de copains avec qui faire la fête, je n'avais pas envie d'abandonner complètement l'enseignement des anciens. À partir de la trentaine, les sorties nocturnes entre amis ne m'attiraient plus. J'ai alors commencé à consacrer la majeure partie de mon temps libre à ma formation d'homme-médecine, tout en continuant de gagner ma vie dans des domaines de plus en plus liés à ma culture ou au bien-être de mon peuple.

Avant d'en arriver là, je suis passé par une phase de révolte assez radicale. À ma sortie du pensionnat, je me sentais certes bien plus libre qu'avant, mais la colère ne me quittait pas. Après toutes ces années passées à entendre les missionnaires nous dire que les Anicinapek étaient des Sauvages, qu'ils étaient sales et qu'ils ne savaient pas vivre, après toutes ces années de violence verbale, physique et

---

33. Étrangement, la brasserie Molson est la plus ancienne entreprise au Canada, après la Compagnie de la Baie d'Hudson !

sexuelle, ma propre estime était au plus bas. En deux mots, je ne m'aimais pas. Et, lorsqu'on ne s'aime pas, on n'aime rien ni personne d'autre. La personne vers qui je dirigeais presque toutes mes frustrations, c'était mon pauvre père. Je lui en voulais de m'avoir abandonné au pensionnat et d'avoir mis tant de temps à me croire, même si j'avais tenté de lui révéler mes terribles secrets. Je lui en voulais de ne pas avoir noué davantage de liens avec le monde des Blancs. Je lui en voulais de ne pas me laisser vivre ma vie comme je l'entendais. Je lui en voulais… parce qu'il fallait que j'en veuille à quelqu'un !

Mon père a tout de même fini par comprendre qu'il devait me sortir de cet enfer intérieur. Un beau jour, il m'a annoncé que nous partions à nouveau en expédition. Nous mettions le cap sur la région de Timmins, en Ontario, mais je n'en savais pas plus. J'étais content de prendre la route avec mon père à bord de notre vieille Chevrolet, mais j'étais souvent impatient, voire insolent envers lui. En cours de route, nous nous sommes arrêtés dans un restaurant bondé, où il n'y avait que des Blancs. Tout le monde semblait nous examiner des pieds à la tête, pendant que nous nous frayions un chemin jusqu'à notre table. Comme toujours, mon père en faisait peu de cas. Il s'est assis tranquillement, a passé notre commande en anglais, puis a commencé à me parler en anicinape, ce qui m'a mis hors de moi. Au bout de quelques minutes, je n'en pouvais plus. La mâchoire serrée et les poings fermés, j'ai explosé :

« Veux-tu bien me parler en français quand on est en public ! Tout le monde nous regarde. Si toi tu n'as pas peur de te faire dénoncer à un missionnaire, moi oui. Alors arrête de parler ta langue sale ! »

Mon père a semblé saisir le message et n'a plus dit un mot du repas. Puis, tout à coup :

« *Pasik8in* ! Lève-toi ! »

Pensant qu'il était prêt à reprendre la route, je me suis exécuté, mais mon père a dit d'une voix forte et autoritaire, en anicinape :

« Regarde bien tous ceux qui t'entourent dans ce restaurant. (Tout le monde s'est retourné vers nous, mais cela ne l'a pas empêché de poursuivre.) Ces gens sont des êtres humains, tes frères et sœurs. Tu es Anicinape, Kapiteotak. Sois fier de qui tu es ! »

Cette phrase — « Sois fier de qui tu es ! » — restera gravée à tout jamais dans ma mémoire. En la prononçant avec toute la puissance du grand homme-médecine qu'il était, mon père a su me toucher en plein cœur. Cependant, je me suis bien gardé de le montrer. Je n'ai plus ouvert la bouche du reste du voyage, cachant de mon mieux l'émotion que cette affirmation avait suscitée en moi. « Sois fier de qui tu es… » Avais-je d'autre choix que d'être celui que j'étais ? Pouvais-je réellement prétendre être comme un Blanc, quand ma peau foncée et mes yeux bridés criaient le contraire ? Pouvais-je adopter le langage des Blancs, quand mon cœur préférait de loin la langue anicinape pour s'exprimer ? Pouvais-je travailler dans une boîte en béton au cœur d'une ville, quand tout mon être aspirait à la forêt ? Pouvais-je réellement apprécier les croyances des Blancs, quand leurs hommes et leurs femmes de Dieu pouvaient faire tant de mal à ceux qu'ils étaient censés guider ?

❖

Perdu dans mes réflexions, je m'étais à peine rendu compte que nous venions de nous arrêter près d'un large cours d'eau : la rivière Matakami. J'ai suivi mon père qui venait de descendre de la voiture et qui déchargeait nos bagages. Un Anicinape de la nation ocip8e nous attendait sur la rive avec une chaloupe à moteur. Mon père lui a donné une poignée de main énergique, ils ont échangé quelques blagues, puis nous sommes partis sur la rivière qui s'étendait devant nous à perte de vue, creusant son lit sinueux entre deux immenses rideaux de conifères, de hêtres et de bouleaux blancs. Au bout de quelques heures, nous avons atteint un village de tipis que je n'avais jamais visité. Plusieurs Anicinapek se sont approchés des berges en entendant le moteur de notre chaloupe. Quand nous avons accosté, j'ai été accueilli par un très beau grand-père aux cheveux gris :

« *Mi na ha Kapiteotak apinotcic ?* a-t-il demandé à mon père en me regardant. Est-ce bien l'enfant Kapiteotak ? »

Mon père a répondu par l'affirmative et les deux hommes se sont donné une chaleureuse accolade. Le vieillard m'a ensuite pris par l'épaule et m'a entraîné tranquillement avec lui vers les tipis. Papa et d'autres hommes nous suivaient derrière. Moi qui me méfiais des hommes qui s'approchaient de trop près, je n'aimais pas que cet inconnu me touche. Cependant, malgré mes réflexes de défense bien aiguisés, quelque chose en moi avait envie de faire confiance à ce vieil Ocip8e qui dégageait énormément de force et de douceur. Au village, de la fumée sortait des tipis, ça sentait bon le feu de bois. Des enfants jouaient avec leurs chiens ; des femmes et des hommes allaient et venaient autour des habitations qui paraissaient très accueillantes. Nous y avons laissé nos bagages, puis nous avons poursuivi notre chemin dans un sentier qui serpentait dans les bois et qui débouchait dans une zone clairsemée. Au centre de cette clairière se trouvaient plusieurs huttes de sudation.

On nous a alors invités à prendre place autour du feu et à boire un peu de thé. Des hommes mettaient des pierres à chauffer dans le brasier, y déposaient du tabac et priaient silencieusement. J'ai fini par apprendre que, ce soir-là, le *matato* me serait spécialement dédié.

En anglais, on les appelle *sweat lodges* et en français, huttes de sudation. À vrai dire, pour nous, ce rituel n'a pas grand-chose à voir avec la sueur. Dans notre langue, nous disons *matato*, ce qu'on pourrait traduire par « lieu de l'esprit ». Toute mon enfance, j'ai vu mon père et les anciens diriger de telles cérémonies dans le plus grand secret. Ce rituel est au cœur de nos pratiques.

Depuis des millénaires, les hommes de notre peuple se transmettent les enseignements de *matato*. Admiratifs devant la femme qui voyait son corps et son esprit nettoyés naturellement tous les mois, les hommes-médecine se sont demandé comment ils pourraient obtenir les mêmes bienfaits[34]. Dès lors, l'idée de *matato* a germé dans leur esprit. Ils ont construit une hutte de forme semi-sphérique[35] et ont dit : « Voici le Ventre de la Maman. » Ils ont creusé un trou en son centre et ont dit : « Voici son Nombril. » Devant la porte de la hutte, ils ont érigé avec la terre provenant du nombril un petit tertre sur lequel ils pouvaient déposer leurs objets sacrés. Ainsi, ce qui était conçu au-dedans pourrait apparaître au-dehors. Ils ont ensuite allumé un feu sacré, en face du tertre, dans lequel ils ont mis des pierres, puis ils ont dit :

« Les pierres sont nos ancêtres, nos *mocom* et *kokom*[36]. Quand ils seront bien chauffés par le feu sacré, nous les placerons dans le Nombril, au centre du Ventre de la Maman. Ils nous aideront à nous relier à toute la Création, à notre passé, à notre présent et à notre avenir. Grâce à l'eau sacrée que nous verserons sur eux et qui se transformera en vapeur, nous serons nettoyés. »

---

34. Autrefois, les femmes n'avaient pas besoin du rituel de *matato*. Leurs périodes de lunes, vécues dans le repos et la prière, étaient leur médecine. De nos jours, la pollution et le stress font que le corps de la femme ne suffit plus à la tâche. C'est la raison pour laquelle on retrouve maintenant des femmes dans les huttes de sudation.

35. Voir l'illustration.

36. Grands-pères et grands-mères.

À l'intérieur de *matato*, l'obscurité est totale. C'est l'apprivoisement de la nuit et de la vie immatérielle. Quand la porte de la hutte se referme derrière nous, nous sommes au commencement de toute chose...

❖

Pour un être souffrant, *matato* est également le lieu de toutes les guérisons. On peut y rire, pleurer, crier... Les grands-pères et les grands-mères (les pierres chaudes) peuvent tout prendre. À 14 ans, je croulais déjà sous le poids de nombreuses épreuves non résolues et il était urgent d'alléger cette charge. Il n'empêche que j'étais sur mes gardes avant d'entrer dans le Ventre de la Maman. Plus le moment approchait, plus la boule de rage qui grandissait au creux de mon estomac depuis des années me mettait les nerfs à fleur de peau.

«Ça y est. Les *mocom* et les *kokom* sont prêts», annonce le gardien de feu. Cela signifie qu'il est temps de commencer. On me dit de m'asseoir au fond de la hutte, dans l'Ouest. Une dizaine d'hommes-médecine prennent place à ma gauche et à ma droite, tout autour du Nombril. Parmi eux se trouvent mon père et le vieil Ocip8e qui m'a accueilli tout à l'heure. C'est lui qui dirigera la cérémonie. On apporte les premières pierres rougeoyantes à l'aide d'une fourche, puis la porte se referme. Il fait bien noir, on ne voit plus que la faible lueur des pierres rougies empilées dans le Nombril. Quelques chants retentissent avec les tambours, ensuite nous restons dans le silence. Le leader verse de l'eau sur les *mocom* et les *kokom*. Pssshhh... Pssshhh... Chaque fois que l'eau entre en contact avec les pierres chaudes, on entend le nuage de vapeur qui monte d'un coup. Lorsqu'elles retombent sur nous, les microscopiques gouttelettes nous plongent instantanément dans un bain de chaleur intense. Celui qui refuse d'entrer ainsi en symbiose avec les quatre éléments — eau, feu, terre et air — trouve le temps bien long. Son cœur et son souffle s'emballent et il finit lui-même par s'expulser du Ventre de la Maman.

Ce soir-là, je suis en présence d'Anicinapek expérimentés, venus expressément pour moi. Je n'en suis pas tout à fait à mon premier rituel de *matato*, mais c'est la première fois que je me retrouve au centre de l'attention. Tendu, je respire péniblement. Pssshhh... Pssshhh... Le grand-père prie doucement en agitant son hochet, puis il entame ses enseignements, en se fondant sur le Grand Cercle de la Vie. Toute la philosophie, toute la vision anicinape repose sur le mouvement

circulaire de la vie, lequel est marqué par les quatre directions : Est, Sud, Ouest et Nord. Quatre couleurs correspondent symboliquement aux points cardinaux : Jaune, Rouge, Noir, Blanc. Et quatre esprits y sont associés : la Tortue, l'Aigle, l'Ours et le Bison.

Le grand-père insiste surtout sur les valeurs liées aux points cardinaux. Dans l'Est, il parlera de la vie, de tout ce qui naît et renaît ; il nous ramènera à notre propre naissance et à la Création. Dans le Sud, ses enseignements seront plus mordants, car il évoquera le respect de soi et des autres, qui nous fait si souvent défaut.

Le vieil homme parle longtemps dans le noir, pendant que la vapeur ruisselle sur nos corps. Ses paroles sont justes, criantes de vérité. Personne ne peut les mettre en doute ou les contester. Les enseignements de chaque point cardinal durent de longues minutes, mais dans cet espace où l'on perd ses références terrestres, la notion du temps devient totalement secondaire. Après chacune des directions, le leader demande d'ouvrir la porte et nous faisons une pause.

Nous entamerons bientôt les enseignements de l'Ouest. Je sais que ce ne sera pas facile, car il sera question d'acceptation et de pardon. En attendant, nous prenons quelques gorgées d'eau qu'on fait circuler à l'intérieur, puis le grand-père s'étend sur le sol, dans l'entrebâillement de la porte, pour se reposer un peu. Son profil se découpe dans les lueurs du feu et de la pleine lune. Une lumière bleutée pénètre dans la hutte, à travers la vapeur qui se dissipe lentement. Au loin, on entend hululer *kokokoho*, le hibou perché sur sa branche. Le grand-père se redresse lentement, allume sa pipe sac**rée** qu'il partage avec nous en silence. Je l'observe dans la pénombre. Torse nu avec ses colliers, son corps dégage la force tranquille de celui qui a su trouver la paix intérieure. Sagesse et puissance émanent de sa silhouette magnifique.

La porte se referme et nous voici plongés de nouveau dans le noir complet. J'entends mes frères de sang respirer autour de moi. Le vieux guide ocip8e remercie les ancêtres de l'Ouest. Il chantonne doucement sa prière, puis, après avoir aspergé les pierres, il s'adresse à moi :

« Kapiteotak, le temps est venu de te vider de ton passé. As-tu déjà remarqué que tous les animaux sur terre vont toujours de l'avant ? As-tu déjà vu un oiseau voler en reculant ? As-tu déjà vu un poisson nager vers l'arrière ? Quand l'orignal pénètre dans la forêt, il ne se pose pas de questions. Malgré ses bois et son corps imposants, il fonce tout droit à travers la végétation dense. Rien ne l'arrête. Quelle est la seule créature encline à revenir en arrière et à se laisser freiner par son passé?... La créature humaine! Est-ce ton cas, Kapiteotak? Ton esprit retourne-t-il constamment dans le passé?

— Oui, dis-je simplement, la gorge nouée.

— Alors, parle, mon garçon. La parole est à toi. Les grands-pères et les grands-mères donnent leur vie pour toi, ici ce soir. Donne-leur ce qui tourmente ton esprit.»

Coincée en moi, ma boule de rage me fait atrocement souffrir. Je respire péniblement et les battements de mon cœur s'accélèrent. J'ai l'impression que, si je laisse sortir un seul son de ma gorge, je déchaînerai une tempête extraordinaire de tonnerre, d'éclairs et de pluie diluvienne dans cette hutte.

«Qu'est-ce qui tourmente ton esprit? demande le guide d'une voix plus forte. Vas-y, Kapiteotak. Fonce comme l'orignal. Ne garde rien. Que t'ont fait les missionnaires?»

Cette dernière question habilement placée dans le crescendo de son discours agit comme un hameçon dans mon ventre. Le vieil homme est venu à la pêche et, maintenant qu'il m'a touché, je mords. Dans un grand souffle, je crache le morceau et mes larmes se mettent à couler.

«Ils m'ont tout pris! Mes cheveux, mes mocassins, ma fierté, ma langue, la forêt, mes frères et sœurs, mon père et ma mère. Après, ils m'ont sali tous les jours avec leurs paroles, avec leurs mains, avec leurs yeux. Je les hais! Je les hais! Je les hais!»

Puis, entre deux sanglots, jaillit la grande question, la grande interrogation qui torture l'humanité entière aux prises avec ses plus terribles souffrances:

«Pourquoi?... Pourquoi?!»

Les hommes-médecine entament alors un chant de guerriers pacifiques. Ils improvisent la mélodie, mais leurs voix s'harmonisent parfaitement bien, comme s'ils ne formaient qu'un seul être. Leur complainte accompagne mes cris et mes pleurs. L'intensité grandit. Les chants m'encouragent à tout laisser sortir. Le guide reprend ses enseignements avec plus de vigueur:

«Les "pourquoi" tuent l'homme souffrant. Jamais tu n'auras de réponse valable à cette question lorsque tu as mal. Tous les humains qui s'entêtent à essayer de comprendre pourquoi le destin les frappe sont condamnés à tourner en rond et à se perdre dans leurs semblants d'explications. Les Blancs excellent dans l'art de tourner en rond dans leur tête. Pendant ce temps, la douleur reste coincée dans le corps, le cœur et l'esprit. C'est elle qui te mène par le bout du nez et qui te fait exploser à la moindre occasion. Ton remède, mon garçon, ce n'est pas de te demander pourquoi, mais plutôt d'accepter ce qui s'est passé. »

Pssshhh! Pssshhh! Le guide rajoute de l'eau sur les *mocom* et les *kokom*. La température dans le Ventre de la Maman augmente et la voix du grand-père s'intensifie au moment où la vapeur mord la surface de mon corps bouillant.

«Accepte ce qui est arrivé, tu ne peux rien changer au passé!

— Mais comment faire pour continuer à vivre avec tous ces Blancs et tous ces religieux qui nous ont volé nos terres et nos croyances? Comment accepter de vivre parmi ces violeurs d'enfants? »

Pssshhh! Pssshhh!

«Qui t'a violé, Kapiteotak? Qui t'a violé?

— Les frères, les prêtres et les religieuses! »

Pssshhh! Pssshhh!

«Non! Ce ne sont pas eux. Qui t'a violé, Kapiteotak?

— L'Église catholique! C'est l'Église catholique! »

Pssshhh! Pssshhh! La chaleur est à la limite du supportable. Elle brûle mes poumons.

«Non! Ce n'est pas l'Église catholique», répond le guide. Puis il répète sa question, encore plus insistant: «Qui t'a violé, Kapiteotak? Qui?

— Ce sont les Blancs et leur gouvernement! Je les déteste! Je leur en veux à mort! »

Pssshhh! Pssshhh!

«Tu te trompes, Kapiteotak. »

Le vieil Ocip8e ralentit la cadence et insiste maintenant sur chacun de ses mots: «Je vais te dire qui t'a violé. Ceux qui t'ont fait du mal ne sont ni les robes noires, ni l'Église catholique, ni le gouvernement, ni l'homme blanc. Ceux qui t'ont violé, mon garçon, ce sont l'homme et la femme malades. Voilà tout. L'homme malade et la femme malade… »

Ces dernières paroles me laissent pantelant. J'avais besoin de les entendre, de considérer les choses sous cette perspective à laquelle je n'avais pas songé.

Le guide crie alors: «*Nasema!* Tabac!», à l'intention du gardien de feu qui veille à l'extérieur de la hutte. Comme le veut la coutume, le gardien dépose du tabac pour nous dans le feu sacré. Ce geste nous procure une forme de soutien moral et nous aide à maintenir la communion avec le Grand Esprit. Le grand-père enchaîne:

« Les agissements de ces hommes et de ces femmes ne devraient jamais avoir lieu : ils provoquent tellement de souffrances inutiles. Désormais, tu sauras voir plus clair dans le comportement des humains malades. Cependant, comprends bien ceci, mon garçon : lorsque tu juges ou blâmes quelqu'un, c'est toi que tu empoisonnes. Tu avances dans la vie, le corps rempli de haine. Ce n'est pas bon pour toi. Et, lorsque tu rencontres tes frères et sœurs les humains, tes jugements mettent des barrières entre vous. Ce n'est pas bon pour toi, ce n'est pas bon pour eux. »

Étendu sur le sol recouvert de branches de sapin, je laisse pleurer mon corps. Mon cœur bat très fort dans ma poitrine, mais mon esprit s'est calmé. Je bois les paroles de mon guide qui ajoute lentement :

« Tu es un adulte, maintenant. Tu es responsable de ta vie. Sache te défendre contre l'ennemi, s'il le faut, mais ne juge ou ne blâme jamais qui que ce soit. C'est ce que les sages blancs appellent le *pardon*[37].

— Un jour, ceux qui m'ont violé viendront-ils à moi pour me demander pardon ?

— Peut-être que oui, peut-être que non. Certains humains n'auront jamais conscience du mal qu'ils font aux autres. Le pardon et l'acceptation servent à te libérer, toi, d'abord et avant tout. Si tu ne t'accordes pas ce respect en premier, personne ne le fera. »

L'homme-médecine marque une petite pause. Nous sentons qu'il a dit ce qu'il avait à dire dans la direction Ouest.

« Le temps est venu d'ouvrir la porte. Il faut nous reposer avant de poursuivre avec les enseignements du Nord. Kapiteotak, veux-tu demander l'ouverture de la porte ? »

J'inspire à fond et je crie bien fort pour que le gardien m'entende à l'extérieur :

« *Ickotem, cenan !* Porte, ouvre ! »

Les enseignements de la porte du Nord ont été très doux. Le grand-père a insisté sur l'importance de savoir accepter et lâcher prise, pour atteindre la liberté intérieure. C'est seulement à ce prix que nous

---

37. Le concept de « pardon » n'existe pas dans le vocabulaire et la pensée anicinapek. Dans leur rapport à la vie et à autrui, les Anicinapek préfèrent tout simplement parler de respect et d'acceptation.

pouvons aspirer à la paix véritable. Les paroles puissantes que le vieil homme-médecine avait prononcées dans l'Ouest vibraient fortement en moi. Je dirais même qu'elles continuent de vibrer et de me porter encore aujourd'hui.

Je suis sorti vidé, lavé et renouvelé du Ventre de la Maman. Dans les années qui suivraient, j'aurais besoin de plusieurs autres séances de *matato* afin d'effacer le souvenir des actes ignobles que j'ai subis ou dont j'ai été le témoin pendant mon enfance, et qui revenaient me hanter à l'occasion. Néanmoins, le *matato* de mes 14 ans s'est avéré décisif, car il m'a fourni des repères.

Il suffit de peu de mots pour guérir l'âme humaine. Celui qui possède l'intelligence de la guérison sait entendre les enseignements des sages. Il ouvre la porte de son cœur et laisse les paroles de guérison agir dans son être. En vérité, il n'est rien que nous ne sachions déjà au plus profond de nous-mêmes. Par ses paroles, le sage ne fait que réveiller notre propre sagesse endormie.

# Septième Feu

*Guéri de la politique, reconverti à la nature*

Le septième prophète qui visita les peuples jadis fut différent des autres. Il était jeune et avait une lumière étrange dans les yeux. Il dit :

« Quand viendra l'ère du Septième Feu, de Nouvelles Personnes apparaîtront. Elles regarderont en arrière pour redécouvrir les traces laissées sur la route. Leurs pas les conduiront vers les sages à qui elles demanderont de les guider. Cependant, plusieurs sages qui s'étaient endormis s'éveilleront dans ce nouvel âge sans rien à offrir. Quelques-uns seront muets, parce que personne ne leur aura demandé conseil. Les Nouvelles Personnes devront prendre garde à la manière dont elles approcheront les sages. La tâche des Nouvelles Personnes ne sera pas facile.

Si les Nouvelles Personnes restent fortes dans leurs démarches, le tambour des eaux du *mitete8in* fera de nouveau entendre sa voix. Il y aura une renaissance de la nation anicinape et la vieille flamme sera attisée. Le feu sacré brûlera de nouveau. »

Comme je l'ai déjà dit, je n'ai jamais voulu vivre dans une réserve. En dépit du sentiment de déroute qui m'accablait au sortir du pensionnat, il m'apparaissait évident qu'il me fallait gagner mon pain et vivre librement parmi les Blancs. Je ne voulais pas me fondre entièrement dans leur culture, mais bien plutôt prendre mon envol sans être assujetti aux limites géographiques et psychologiques de ces territoires minuscules où le gouvernement avait parqué nos peuples. Le puissant *matato* qu'on m'avait dédié à 14 ans m'avait aidé à me redresser, mais un sentiment diffus de colère et d'injustice continuait de m'habiter. Une partie de moi avait envie d'aller de l'avant, mais une autre revenait parfois en arrière et m'incitait à boire. La nuit, je faisais donc la fête, et le jour je me surprenais à me plaire en compagnie des 8emitekoci, dans le cadre des divers travaux qu'ils me proposaient.

Parfois, j'étais cuistot dans des camps de bûcherons. Parfois, j'accompagnais mon père dans la forêt où, pour le compte des compagnies de prospection minière, nous nous adonnions à des activités de marquage et de défrichage. Plus je prenais de l'assurance sur le marché du travail, plus j'étais curieux d'expérimenter du nouveau. Il y avait tant de choses à apprendre, tant de lieux à découvrir et de gens à connaître! Puisque je ne me fixais pas vraiment de limites, je commençais même à rêver de devenir médecin. J'ai confié mes aspirations à ma mère, et un beau jour je lui ai appris la grande nouvelle:

«Maman, je viens de recevoir un coup de fil de l'hôpital d'Amos. Ils m'ont donné rendez-vous pour un nouvel emploi. Je vais pouvoir devenir médecin!

— Mais ce n'est pas possible, Kapiteotak. Pour devenir docteur, tu dois faire de longues études.

— *Ka8in, Jojo.* Non, maman. L'autre jour, j'ai vu qu'un poste était affiché à l'hôpital. J'ai soumis ma candidature et ils m'ont choisi. Je commence demain matin.»

À l'heure convenue, je me suis présenté fièrement à l'hôpital. Une responsable d'équipe m'a demandé de la suivre jusqu'au sous-sol où elle m'a présenté aux autres. Jusque-là, tout allait bien. Tout à coup, la dame m'a tendu une moppe[38] et un seau, puis elle m'a annoncé que j'avais pour tâche de laver le plancher de la clinique externe. Moi qui m'imaginais soigner les malades, j'allais devoir m'en tenir à l'entretien ménager. Qu'à cela ne tienne! Je pourrais tout de même voir les pa-

---

38. La «moppe» des Québécois, de l'anglais *mop*, sert à laver les planchers à l'eau savonneuse. Les Français diront plutôt la «serpillière».

tients tous les jours et les aider à ma façon! De plus, j'étais en admiration devant ma moppe toute neuve et mon seau à roulettes. Le grand luxe en matière de nettoyage!

Toujours est-il que je prenais plaisir à faire reluire les planchers et à me faire de nouveaux amis à l'hôpital, tout en restant très attentif au fonctionnement de la médecine des Blancs. Un soir, alors que je faisais mon travail avec application dans la salle de radiologie, je me suis retrouvé face à un médecin — le D^r Chiasson — qui se précipitait pour répondre à une urgence:

« Veux-tu bien dégager le passage! m'a-t-il lancé avec irritation. Tu vois bien que tu nous gênes. Si au moins tu avais été à l'école, tu aurais pu faire quelque chose de valable dans la vie! »

Cette remarque acerbe m'a piqué au vif. Pendant la pause-café dans nos locaux du sous-sol, j'ai raconté cette mésaventure à mes collègues:

« Cet homme m'a jugé! De quel droit se permet-il de me parler sur ce ton?

— Bah! Tu ferais mieux d'avaler la pilule, Dominique, a rétorqué un camarade. C'est toujours comme ça avec les gens haut placés. Ils se prennent pour des dieux. Si tu ne gagnes pas le même salaire qu'eux, tu n'es qu'un minable à leurs yeux.

— Je ne suis pas d'accord. Tout le monde est important, ici. Je vais lui parler, moi, au D^r Chiasson. »

Le lendemain, j'ai croisé de nouveau le fameux D^r Chiasson. Comme il semblait moins pressé que la veille, j'en ai profité pour échanger deux mots avec lui.

« Docteur Chiasson, je n'ai pas aimé vos paroles à mon endroit, hier. Vous avez dit que j'aurais pu faire quelque chose de mieux de ma vie. Pourtant, les malades ont autant besoin de moi que de vous! Je suis là pour tuer les microbes dans cet hôpital. Sans mon travail, vous ne pourriez pas réussir le vôtre. Vous devriez savoir que mon rôle est important. Au lieu de cela, vous m'avez jugé. »

Étonné par ma réplique et visiblement plus serein que lors de notre première rencontre, le médecin m'écoutait attentivement. « Qui est ce jeune Indien? », semblait-il se demander avec curiosité. Mes observations le faisaient sourire gentiment, puis il s'est excusé en m'expliquant qu'il était préoccupé par une urgence, la veille, mais qu'il regrettait ses paroles.

Peu de temps après, on a annoncé que le ministre des Affaires indiennes de l'époque, Jean Chrétien, serait de passage à Amos pour sa campagne électorale. Selon mes collègues, le ministre n'en aurait que pour les grosses légumes, comme d'habitude. Cela m'a donné une idée.

« Vous pensez que nous ne méritons pas d'être considérés comme des gens importants ? Eh bien, j'ai un plan… »

Tous les spécialistes possédaient des titres finissant en « logue » ou en « logiste » ; pourquoi pas nous ? Le jour de la visite de Jean Chrétien à Amos, j'ai donc apporté des épinglettes que j'avais fabriquées avec des morceaux d'écorce de bouleau. Je les ai distribuées à quelques employés de mon service, en les encourageant à y inscrire leur nom et leur titre hautement respectable de « moppologiste ». C'est mon grand copain de travail, Jean Collin, qui m'a ensuite frayé le chemin jusqu'au ministre. Quand celui-ci a lu sur mon épinglette « Dominique Rankin, moppologiste », il nous a pris en affection, moi et mes éminents confrères de l'entretien ménager !

À partir de ce moment, l'humeur qui régnait et l'entente entre les membres du personnel hospitalier se sont améliorées. Le D$^r$ Chiasson, qui me trouvait bien sympathique, prenait désormais le temps de me saluer et de discuter avec moi dès qu'il en avait l'occasion. Il a même appuyé ma candidature à un poste en salle d'opération. Je serais non seulement chargé de nettoyer le sol, mais aussi d'apporter les instruments jusqu'à la stérilisation. Toute une promotion !

« Je te l'avais bien dit, ai-je annoncé fièrement à maman. Je suis en train de gravir les échelons ! »

Au bout de deux ans en salle d'opération, j'avais pu observer beaucoup de choses et j'avais l'impression de ne plus rien apprendre de nouveau. J'ai dit au D$^r$ Chiasson que je souhaitais être transféré à la morgue.

« À la morgue ! s'est-il exclamé, ahuri. Jamais personne ne veut travailler là. Pourquoi voudrais-tu ce boulot ?

— J'ai très envie de voir comment les choses se passent dans ces lieux. Je sais que je pourrai en apprendre beaucoup sur le corps humain et sur votre médecine.

— Eh bien, je vais voir ce que je peux faire. À mon avis, ce ne sera pas très difficile de te dénicher un poste. »

Chose promise, chose due ! Le D$^r$ Chiasson m'a obtenu rapidement un poste de préposé à la morgue, où j'avais notamment la tâche de préparer les dépouilles pour les autopsies. Après quelques jours, intrigués par la facilité déconcertante avec laquelle je m'acquittais de mes nouvelles responsabilités, le D$^r$ Chiasson et quelques autres médecins m'ont invité au restaurant. Attablé devant une succulente pizza, j'attendais la question qui leur brûlait les lèvres depuis si longtemps:

« Tu as toujours su garder ton calme durant les opérations chirurgicales et même les autopsies. Jamais nous n'avons vu une chose pareille chez un nouveau venu... Mais qui es-tu? »

Sans tout leur révéler (nous sortions à peine de la Grande Noirceur), j'ai tout de même levé un peu le voile sur mes origines:

« Mon père, mon grand-père et mes aïeux étaient des chefs héréditaires. Cela signifie qu'ils étaient de bons leaders, mais qu'ils connaissaient également la médecine traditionnelle. Ils m'ont appris à leur façon comment soigner les humains, en cas de blessure ou de maladie. Les chasseurs les consultaient aussi, pour savoir si leurs prises étaient saines. Lorsqu'il examinait les organes d'un animal afin de s'assurer que la viande n'était pas contaminée, mon père pratiquait lui aussi des autopsies. Alors, pour moi, ce que je vois à l'hôpital n'est pas tout à fait nouveau! »

Ce repas où les médecins m'ont posé mille et une questions a achevé de les séduire. Dès lors, je suis devenu leur grand ami. Par contre, j'ai dû un jour admettre que ma mère avait bien raison: jamais je ne pourrais devenir docteur, à moins de réussir de longues études. Étant donné que l'école et moi n'avions jamais fait bon ménage, j'en ai conclu que je ne serais jamais un véritable « docteur en médecine scientifique ». De plus, j'avais vu et appris suffisamment de choses durant mes années à l'hôpital d'Amos pour me sentir rassasié. J'étais mûr pour d'autres défis.

❖

Malgré mes courtes études, on m'a souvent donné ma chance. J'ai pu apprendre toutes sortes de métiers — maître de poste, intervenant social en toxicomanie, inspecteur de l'hygiène dans les dispensaires autochtones. J'ai même réussi à être admis dans la police d'une petite ville, mais je n'ai pas tenu plus de deux mois, car mon travail de patrouilleur de nuit m'apparaissait d'un ennui mortel. Cela m'a néanmoins ouvert les portes de l'Institut de police de Nicolet, où j'ai pu suivre une formation de garde-chasse. Là, je me suis amusé! Ce métier m'était tout indiqué. Par la suite, j'ai passé une dizaine d'années à protéger la faune dans les forêts de ma région natale. Il y avait parfois des frictions avec mes supérieurs les plus zélés, car je n'aimais pas appliquer les lois et les règlements à la lettre, sans faire preuve de discernement ou de compassion. Contrôler les permis des chasseurs qui désiraient simplement nourrir leur famille ne m'intéressait guère. Par contre, participer aux opérations de démantèlement des réseaux de braconnage me plaisait au plus haut point. Mes patrons aimaient bien m'envoyer en mission d'espionnage. Je fréquentais les bars où se retrouvaient les présumés braconniers, puis j'entamais tout bonnement la conversation. Jamais ils ne se doutaient que l'Indien devant eux était un agent de conservation de la faune! Il ne suffisait que d'une bière ou deux pour que ces vantards me divulguent tous leurs secrets. Au moment de leur arrestation, à l'issue de l'enquête, inutile de vous dire qu'ils tombaient des nues en me voyant réapparaître en uniforme!

Malheureusement, ma carrière de garde-chasse a pris fin abruptement. Un jour que nous poursuivions des braconniers en motoneige, je me suis détaché de notre groupe pour prendre un raccourci, mais je n'ai pas vu le ravin vers lequel je filais. J'ai fait une chute de plusieurs mètres et me suis retrouvé coincé sous ma motoneige, le dos fracturé, incapable de bouger. Quarante-cinq longues minutes plus tard, mes collègues ont fini par me retrouver. On a dû me transporter par hélicoptère jusqu'à l'hôpital, où un médecin m'a appris que deux de mes vertèbres avaient été broyées.

«Vous risquez de rester paralysé, m'a dit le chirurgien. Si on vous opère, vos chances de marcher à nouveau ne sont que de dix pour cent.

— Dix pour cent, c'est beaucoup, docteur. Opérez-moi et je vous garantis que demain matin vous allez me voir debout sur mes jambes.»

C'est bien ce qui s'est produit. Avec un mélange de stupéfaction et de joie sincère, les médecins m'ont vu me lever de mon lit d'hôpital à peine douze heures après l'opération. J'ai fait quelques pas avec la détermination de l'orignal..., puis je suis tombé dans les pommes! La bataille était tout de même gagnée. J'en ai gardé une cicatrice d'une dizaine de centimètres au bas du dos: souvenir de ma chasse aux méchants braconniers. Les disques intervertébraux de mes quatrième et cinquième vertèbres lombaires ont disparu et les vertèbres ont fusionné. J'ai raccourci de quelques centimètres, mais je marche, je soulève tous les objets que je veux et je me balade en motoneige avec un plaisir sans cesse renouvelé. À regret, j'ai dit adieu au métier de garde-chasse: vu mon accident, mes patrons voulaient m'installer dans un bureau, mais c'était hors de question pour moi. De toute façon, la culture anicinape m'appelait de plus en plus. Nous entrions maintenant dans les années 1980. L'ouverture était plus grande envers nos peuples, ce qui permettait d'élaborer divers projets plus passionnants les uns que les autres. Le temps était venu de me mettre au service des miens.

❖

Avec la création des réserves à la fin du xix<sup>e</sup> siècle, les peuples amérindiens ont été contraints d'adopter le système démocratique des Blancs. Ceux qui dirigent les réserves portent le titre de chef, mais ils sont élus au suffrage universel et agissent à peu près au même titre que les maires avec leurs conseillers, formant ce qu'on appelle le « conseil de bande ». Chaque réserve a donc son chef, et chaque nation a son grand chef, lequel sert d'intermédiaire entre les réserves de sa nation et les gouvernements fédéral et provincial. Après mes belles années à m'amuser dans la forêt en tant que garde-chasse, puis après avoir eu le bonheur de diriger le Centre d'amitié autochtone de Val-d'Or[39], j'étais prêt à me lancer en politique. Il y avait d'ailleurs long-temps que mon père espérait me voir me consacrer davantage au bien-être de mon peuple, en mettant à profit mes qualités de leader. J'ai facilement remporté mes élections, d'abord à titre de vice-grand chef, puis en tant que grand chef de la nation algonquine.

Lors de mon passage en politique, les projets à caractère social et culturel m'interpellèrent particulièrement. Je suis notamment fier d'avoir contribué à ramener notre langue et notre culture dans l'enseignement aux enfants. Dans les réserves, nous avions nos écoles primaires, soumises aux programmes du ministère de l'Éducation. L'enseignement et même l'usage des langues amérindiennes étaient interdits par les commissions scolaires. Après bien des négociations, nous avons réussi à faire accepter l'intégration des langues autochtones dans le programme scolaire hebdomadaire des élèves. Cette nouvelle ouverture nous a aussi permis d'instaurer des périodes d'apprentissage en forêt, où les enfants peuvent être initiés à divers savoirs liés à notre

---

39. Les Centres d'amitié autochtones offrent une multitude de services aux Autochtones vivant hors des réserves. En plus d'avoir dirigé le Centre de Val-d'Or pendant cinq ans, T8aminik n'a jamais cessé de siéger au conseil d'administration de ces centres, d'abord au niveau provincial, puis au niveau national. En 2003, il a été nommé « sénateur » pour les quelque 140 Centres d'amitié autochtones du Canada, c'est-à-dire qu'il agit maintenant à titre d'aîné, guidant les réunions et conseillant les plus jeunes.

culture, par exemple la construction d'abris de survie, la chasse, la trappe, la fabrication d'objets traditionnels.

Dans beaucoup de communautés autochtones du Canada, la langue d'origine ne se parle plus. Mais notre peuple a de la chance, car une majorité de Mami8innis a conservé son dialecte. La partie est toutefois loin d'être gagnée. Au gré des mariages mixtes ou des déménagements en ville, les enfants perdent graduellement leur langue. Ce qui m'attriste le plus, c'est de voir combien nos anciens sont délaissés. La vie moderne des Anicinapek devient aussi trépidante que celle des Blancs. Leur quotidien n'est pas celui de leurs ancêtres et le fossé s'est creusé entre les nouvelles générations et nos anciens. Cela me peine énormément de voir disparaître les derniers *Kitci* Anicinapek qui sont nés et qui ont vécu dans la forêt selon le mode de vie nomade. Ce sont des êtres extrêmement précieux à mes yeux. Très peu de gens les apprécient à leur juste valeur. Pendant que nos jeunes doivent trimer dur pour gagner leur vie (et pour surmonter les souffrances psychologiques dont ils sont les héritiers), les derniers véritables anciens se bercent en silence dans leurs maisons. On réclame parfois leur présence dans les écoles, mais leurs connaissances inestimables sont tout de même en train de s'évanouir.

Pour ma part, je n'ai jamais cessé de rendre visite aux anciens. Lorsque j'œuvrais dans nos communautés, j'ai mis sur pied nombre de programmes pour mettre en valeur les trésors de connaissances qu'ils peuvent nous transmettre. Avec la complicité fidèle et précieuse de mon père, j'ai participé à d'innombrables projets de muséologie, de valorisation de sites ancestraux et d'activités favorisant la renaissance de nos traditions.

Bref, les années passaient et faisaient de moi un homme plus sérieux. J'avais mis de côté l'alcool depuis longtemps et j'appréciais toujours davantage le legs de nos ancêtres. Je gagnais en sagesse. Du moins, c'est ce que je croyais !

J'ai fait tout ce que j'ai pu, durant mes deux mandats à la tête de la nation algonquine, pour servir mon peuple le plus honnêtement et le plus sagement possible. Toutefois, lorsque le système est corrompu, un seul homme n'y peut pas grand-chose. En fait, ce qui s'est passé pendant mes années en politique (et qui se passe encore de nos jours), c'est que les questions d'argent et de pouvoir ont parfois pris le dessus sur le rôle véritable du chef tel qu'on l'entendait autrefois. Il faut dire que la soif d'argent et de pouvoir peut vite nous monter à la tête. J'en sais quelque chose! Même si j'ai toujours agi avec intégrité dans l'administration des sommes allouées à ma nation, j'avoue que je me suis laissé griser par le salaire substantiel attaché à la fonction de grand chef. Lorsque j'ai reçu mon premier chèque de paye, je suis tombé à la renverse. Je gagnais plus d'argent que le premier ministre! Au début, j'ai refusé tout cet argent. J'ai demandé au comptable d'en remettre une partie à mon peuple, dont la pauvreté est criante. J'ai cependant fini par constater que cet argent n'avait jamais été soustrait aux sommes consacrées aux salaires des élus. J'ai donc dit au comptable: «Tu me redonnes mon plein salaire, et vite!»

Le solde de mon compte d'épargne s'est mis à grimper en flèche. Je n'avais jamais connu cela. À partir de ce jour, j'ai plongé dans la richesse jusqu'au cou. Manifestement, je devais mettre ma fortune à contribution! J'ai commencé par m'offrir une grosse voiture, une Chrysler Fifth Avenue, Édition Spéciale! Puis, il me fallait des véhicules pour les excursions en forêt: un quad pour l'été et une motoneige pour l'hiver. Puisque j'aimais me retirer dans les bois les jours de congé, il était pratique de posséder un chalet. J'en ai trouvé un à mon goût. Il reste que, à la saison froide, il était bien agréable de faire quelques escapades dans le Sud. À cette époque, tout le monde investissait dans des condominiums en Floride. Il était tout naturel de suivre cette vogue. Et hop! Un condo à Miami!

Pour couronner le tout, j'ai décidé de m'acheter un gros bateau, équipé d'un moteur de 125 ch, pouvant traverser le lac Makamik en quelques minutes. Un jour, je suis allé montrer à mes parents ma dernière acquisition qui trônait fièrement sur la remorque attachée à mon véhicule.

«T'as vu, maman? ai-je dit en bombant le torse. Avec ça, je vais pouvoir te conduire à ton camp plus vite que tu ne l'aurais jamais cru!

— J'ai bien peur que non, mon pauvre Kapiteotak, a répondu ma mère, un peu découragée. Ce gros bateau ne pourra jamais se rendre jusqu'à notre camp. La rivière 8akocik n'est pas assez profonde.»

Cette observation si juste m'a laissé pantois. Emporté par ma frénésie dépensière, je n'avais même pas pris le temps de réfléchir à la véritable utilité de cet achat. Et ma mère de m'achever de sa voix douce:

«Que vas-tu voir et entendre sur ton gros bateau? Le bruit du moteur fera fuir les oiseaux et les animaux. Tu ne pourras plus écouter le silence de la nature ni profiter de la beauté des paysages qui vont défiler trop vite devant tes yeux! Tu sais, moi, je préfère le canot. »

❖

Certains disent que la lourdeur de notre porte-clés est inversement proportionnelle à notre tranquillité d'esprit. Avec les clés de mes nombreux véhicules et demeures, et surtout avec le poids de mes responsabilités de grand chef, la pression ne cessait d'augmenter. Emportés par la grande agitation que suscitait mon style de vie, mon corps et mon esprit ne suffisaient plus à la tâche. Pendant l'un de mes nombreux voyages en auto entre Montréal et Val-d'Or, je ne me suis pas rendu compte que j'étais en train de perdre toutes mes facultés. Comme quelqu'un qui a trop bu, j'ai soudainement perdu la maîtrise de ma Chrysler Fifth Avenue et je me suis retrouvé dans un fossé, non loin de Mont-Laurier. Vu mes symptômes, les policiers qui m'ont secouru ont cru que j'étais ivre mort, mais il n'en était rien. En réalité, j'étais en train de sombrer dans un coma diabétique.

De nos jours, un très grand nombre d'Autochtones sont aux prises avec le diabète. Les immenses bouleversements alimentaires et psychologiques subis par nos peuples en si peu de temps ont contribué à la prolifération de cette maladie. Ma mère allait bientôt en mourir et voilà qu'à mon tour j'étais atteint. Mon coma a duré trois jours. Quand je me suis réveillé, le médecin m'a dit que je devrais rédiger mon testament, car j'avais peu de chances de m'en sortir. Cette annonce m'a plongé dans une profonde colère : «Mais de quel droit se permet-il de m'annoncer ma mort, celui-là? Personne, à part moi, ne peut décider de mon sort. Si je veux vivre, je vivrai. Un point c'est tout!»

On m'a montré à m'injecter de l'insuline, puis j'ai quitté l'hôpital après avoir pris d'importantes décisions. J'ai vu que j'étais allé trop loin et la perspective de la mort m'avait remis les idées en place. Comme l'aigle, je m'étais élevé bien haut dans le ciel, ce qui m'avait permis de voir clairement le chemin à suivre. J'ai remis immédiatement ma démission à titre de grand chef de la nation algonquine. J'ai vendu tout ce que je possédais et j'ai même quitté l'Abitibi. Destination : la forêt laurentienne, où j'ai trouvé une vieille cabane au fond des bois. J'y ai installé un bon poêle à bois, de nouvelles fenêtres, et puis, pendant deux ans, j'ai fait le vide pour retrouver le mode de vie de mes ancêtres. J'ai construit une hutte de sudation derrière ma cabane et, régulièrement, je faisais mon propre *matato*, tout seul, n'ayant plus peur de m'affronter moi-même. J'ai vite compris que le goût du luxe et les longues heures de travail des dernières années avaient subtilement remplacé mon ancien besoin d'alcool. J'ai compris que, encore une fois, j'avais voulu m'étourdir au lieu de faire face à mes vieux fantômes. J'ai compris qu'en me surmenant de la sorte, j'étais loin de me respecter et de m'aimer.

Autrefois, mes amis médecins d'Amos s'étaient montrés curieux de ma personne. «Mais qui es-tu ?» Il était temps que je me pose moi-même la question : «Qui suis-je ?» «Je suis Anicinape, pensais-je. Un homme vrai… Un être humain vivant en harmonie avec la nature.» Plus je faisais silence, plus le temps se rangeait de mon côté. Plus je prenais le temps de vivre, plus j'entendais la voix de mon intuition. Plus j'étais à l'écoute, plus je savais qui j'étais réellement. Plus je m'appréciais, plus j'avais envie d'être vrai et intègre. Plus j'agissais en harmonie avec la nature et ma propre nature, plus j'étais en communion avec la Terre-Mère et le Créateur. Plus j'étais en paix avec la vie, plus mon esprit et mon corps se sentaient bien.

Grâce à cette paix retrouvée, j'ai senti que mes doses d'insuline étaient devenues trop fortes. Je suis retourné consulter mon médecin et, bien que cela soit exceptionnel, il a accepté de modifier ma médication. J'ai donc cessé les injections d'insuline et me suis mis à prendre trois comprimés par jour. Très lentement, graduellement (en plusieurs années), et toujours sous la supervision de mon médecin, je suis passé à deux comprimés par jour, puis à un seul, et un jour j'ai cessé de prendre des médicaments pour le diabète. En restant bien connecté à la vie et à celui que je suis profondément, j'ai pu écarter la maladie. Cela dit, je serai toujours sujet à ce problème de santé. J'ai d'ailleurs dû reprendre à quelques reprises des produits pour contrôler le diabète, mais je sais maintenant que, si je respecte mon corps, mes émotions et mon esprit, je peux me passer complètement de médicaments. La médecine classique est stupéfiée par mon cas, mais, du point de vue de la médecine traditionnelle de mon peuple, une telle amélioration est tout à fait possible.

Bien entendu, les maladies modernes ne peuvent pas toutes être traitées par les remèdes d'autrefois. C'est la raison pour laquelle je ne rejette aucunement la médecine scientifique. Par contre, je sais que notre vision globale de l'être humain manque à la science. C'est là que les notions de santé propres à nos traditions peuvent compléter celles des médecins contemporains. De nos jours, j'éprouve d'ailleurs énormément de plaisir à recevoir des groupes de médecins chez moi. Les moments que nous partageons me remplissent de satisfaction et de joie.

Guéri du diabète — et de la politique! —, j'ai pris la décision de m'installer dans les Laurentides, ce vaste territoire de forêts, de lacs et de montagnes situé en territoire ancestral algonquin. De plus, je me rapprochais ainsi de Montréal et du monde des Blancs. Avec mon père — qui était devenu non seulement mon guide, mais aussi mon grand ami inséparable —, nous sentions que le moment était propice aux nouveaux liens entre Autochtones et non-Autochtones. Il était temps de mettre de côté l'image folklorique qu'on se faisait de notre peuple pour entrer dans une ère de partage et de dialogue, basée sur la richesse de nos cultures. Ensemble, nous avons eu l'idée de créer un petit centre ethnoculturel, où les gens pourraient passer quelques heures ou toute une nuit dans un tipi, goûter nos mets traditionnels et découvrir les savoirs de nos ancêtres. Nous avons trouvé un terrain et fondé notre entreprise. Je dénicherais les touristes et papa, lui, leur raconterait notre histoire. Au moment où notre projet était prêt à décoller, papa m'a téléphoné d'Amos. Quelques jours auparavant, il avait été hospitalisé à la suite d'un malaise:

«Kapiteotak, j'ai bien failli partir cette nuit, m'a-t-il annoncé calmement. Je crois qu'il ne m'en reste plus pour longtemps.

— Mais non, papa. Ne t'en fais pas. Je suis certain que tu vas t'en sortir. Le temps de boucler ma valise et de me rendre à Amos, je serai avec toi cet après-midi. Attends-moi.»

Je n'avais pas voulu prendre cet appel au sérieux. Pourtant, une dizaine de jours auparavant, papa m'avait demandé de réunir mes frères et sœurs, sans leurs conjoints ni leurs enfants. Lors de cette réunion inhabituelle, il nous avait montré un petit canot d'écorce qu'il avait fabriqué lui-même. La plupart de mes frères et sœurs n'avaient pas saisi le message. Par ce geste symbolisant le grand voyage, il nous annonçait son départ imminent. En fait, il nous avait même prédit que cela se produirait deux semaines plus tard, et il avait vu juste. Comme tous les hommes et femmes-médecine de sa trempe, mon père avait prédit sa mort.

Le matin de son dernier coup de fil, j'avais refusé de reconnaître la réalité. À peine venais-je de faire ma valise que le téléphone a sonné de nouveau. C'était ma sœur Jane m'annonçant la triste nouvelle: papa venait de nous quitter. Dix ans plus tôt, nous avions eu la douleur de voir partir notre chère maman, et cette fois notre dernier pilier disparaissait. Sur le coup, j'ai été pris de colère. Je n'y croyais pas. Comment avait-il pu partir sans m'attendre ? Comment mon héros, mon professeur, mon meilleur ami, mon allié fidèle avait-il pu m'abandonner de la sorte ? Cette effroyable nouvelle m'a terrassé. Le trou béant que son départ a creusé dans ma vie m'a fait prendre conscience de ma dépendance envers lui. Mon père était devenu pour moi une béquille. Je devrais désormais apprendre à marcher seul.

En réalité, papa ne m'avait pas tout à fait laissé à moi-même. Comme il l'avait fait à l'approche de mon initiation de jeune homme-médecine, quand j'avais 12 ans, il avait tout préparé à l'avance. Après l'avoir enterré, j'étais agenouillé devant sa pierre tombale, le cœur inondé de chagrin, quand une main s'est posée sur mon épaule. Je me suis retourné pour voir qui me touchait avec tant de chaleur, et j'ai reconnu William Commanda, le meilleur ami de mon père :

« Ne t'inquiète pas, Kapiteotak. Je serai là pour t'accompagner dans les enseignements spirituels. Ton père m'a demandé de prendre la relève après sa mort et j'ai accepté. Nous ne te laisserons pas tomber. »

Rien ni personne ne pourra jamais remplacer *Kitci* T8amy, le grand homme, le grand *Okima*. Je ne cesse de remercier le Créateur d'avoir eu l'incroyable chance de vivre à ses côtés et de recevoir tout ce qu'il m'a transmis. Sans la force exceptionnelle dont ont fait preuve ma mère et mon père tout au long de leur vie, je ne serais pas là où je suis aujourd'hui. Quelle bénédiction d'avoir pu recevoir leurs enseignements, et ensuite ceux d'un autre grand *Okima*, *Comis* William Commanda !

# Huitième Feu

## La lumière qui dépendra de nos choix

Un jour, la race à la peau blanche devra choisir entre deux chemins. Si elle s'engage dans le bon chemin, alors le Septième Feu allumera le Huitième et dernier Feu, un feu éternel de paix, d'amour et de fraternité.

Si la race à la peau blanche se trompe, alors la destruction qu'elle a apportée avec elle en ce pays se retournera contre elle. Tous les habitants de la terre en souffriront et beaucoup en mourront.

Les personnes mides[40] de la nation ocip8e et des gens d'autres nations croient que ces « deux chemins » seraient ceux de la technologie et de la spiritualité. Ce chemin du développement technologique conduit la société moderne vers une planète endommagée et brûlée. Serait-il possible que cette route mène à la destruction ? La spiritualité est un chemin plus lent que les Autochtones traditionnels ont suivi et cherchent à redécouvrir. La terre n'est pas brûlée sur ce sentier. L'herbe y pousse encore.

Le prophète du Quatrième Feu a parlé d'une ère où « deux peuples s'uniront pour créer une puissante nation ». Il parlait de la venue de la race à la peau blanche et du visage de la fraternité qu'elle aurait pu

---

40. De la tradition *mitete8in*.

montrer. Il est évident, d'après l'histoire de ce pays, que la race à la peau blanche, en général, a montré un tout autre visage. Et cette puissante nation, décrite dans le Quatrième Feu, n'a jamais vu le jour.

Si nous, peuple naturel de la terre, pouvions simplement montrer le visage de la fraternité, nous pourrions peut-être détourner notre société du chemin de la destruction. Pourrions-nous faire en sorte que les deux chemins, qui représentent deux philosophies diamétralement opposées, s'unissent pour favoriser l'émergence de cette puissante nation? Serait-il possible de former une nouvelle nation qui serait guidée par le respect de toutes les choses vivantes?

Sommes-nous les Nouvelles Personnes du Septième Feu?

Papa nous avait quittés depuis environ cinq ans. Au fil de mes études d'homme-médecine et de mes initiations successives, j'avais reçu six pipes sacrées, dont celle de *Comis* William Commanda que je fréquentais désormais assidûment. Le moment de mon initiation finale approchait. Cette épreuve rigoureuse me permettrait de recevoir mon septième et dernier feu, c'est-à-dire ma dernière pipe sacrée.

Étais-je prêt? Je croyais bien que oui. Cela faisait une quarantaine d'années que je pratiquais régulièrement le rituel de *matato* et que je l'enseignais aux personnes qui me le demandaient. Cela s'était d'abord passé en compagnie d'autres guides plus expérimentés, ensuite sous leur simple supervision à distance. Mes *matato* avaient drôlement gagné en puissance, en chaleur également, puisque, à mesure que je faisais mes preuves, mes professeurs me permettaient d'utiliser de plus en plus de pierres.

La maîtrise de la médecine des plantes et de certaines parties du corps des animaux ne m'échappait plus. J'avais confiance en mes remèdes, si j'en avais besoin pour soigner quelqu'un. J'étais également à l'aise avec les points de jonction énergétique du corps et je savais quoi faire pour aider les personnes dont l'énergie s'est crispée, ou bloquée, à la suite de quelque traumatisme.

Le plus important était cependant la maîtrise de l'esprit. Ce qui rend l'humain malade, c'est sa façon d'aborder le passé, les épreuves et la beauté même de la vie. Afin de pouvoir accompagner les autres sur le chemin de la guérison de l'âme, il me fallait moi-même avoir acquis une bonne dose de force et de tranquillité intérieures.

Lorsque *Comis* m'a confirmé que le temps était venu d'organiser ma grande initiation, j'étais heureux. Avec son aide, nous avons pris contact avec des hommes et des femmes-médecine de l'Ouest canadien, puis il a été décidé que son vieil ami de la nation ocip8e,

Tom Eagle, m'accompagnerait dans ce passage très exigeant, où je devrais jeûner pendant vingt et un jours, sur une plateforme perchée bien haut dans un arbre. Je n'en étais pas à ma première plateforme ni à mon premier jeûne, mais celui-ci serait le plus long de tous.

Je suis donc parti pour les Territoires du Nord-Ouest, juste au nord de la frontière albertaine, où habitait Tom Eagle. C'est lui qui est venu m'accueillir à l'aéroport. Ce n'était pas la première fois que je me rendais chez des anciens pour des enseignements privés. Normalement, la première chose que je faisais en arrivant, c'étaient quelques emplettes à l'épicerie, mais, cette fois-ci, ce ne serait pas nécessaire !

Avant de monter sur la plateforme, nous avons consacré une semaine entière à la prédisposition de mon corps et de mon esprit. Pendant ces journées essentielles, je diminuais graduellement mon alimentation. Mon guide me faisait boire les tisanes appropriées et voyait surtout à ma préparation mentale.

« Sur la plateforme, m'a-t-il expliqué, tu devras rester torse nu. Quatre peaux de bison seront à ta disposition pour te tenir au chaud. Ton corps s'habituera vite à la privation de nourriture, comme tu t'en doutes. Mais la soif sera un défi plus grand.

— Est-ce que je pourrai boire l'eau de pluie ?

— Oui, mais on ne sait pas si *Kitci* Manito fera tomber la pluie pour toi ou non. L'homme-médecine doit apprendre à s'en remettre entièrement à la volonté du Grand Esprit. Par contre, il y aura un autre moyen de t'abreuver.

— Vous voulez parler des grosses pommes de pin dont je pourrai boire la sève ?

— Les pommes de pin vont bien sûr te désaltérer, mais elles te procureront surtout des vitamines et des minéraux. Non, l'autre moyen de t'hydrater consistera à trouver la façon de boire l'humidité ambiante à travers les pores de ta peau. Si tu restes bien connecté à l'intelligence de ton esprit, tu y parviendras. »

Je n'avais pas d'autres questions. Je gardais le silence, puis Tom Eagle a dit :

« N'oublie pas de marcher souvent sur ta plateforme. Il est très important de ne pas laisser ton corps s'ankyloser. Je viendrai te voir régulièrement. Si tu ressens des étourdissements ou de quelconques malaises, tu dois me le dire. Ne me cache rien et ne force rien. Tu dois savoir prendre tes responsabilités par rapport aux limites de ton corps et de ton esprit. C'est compris ?

— Oui. »

❖

Nous voici au pied du magnifique pin centenaire qui m'accompagnera tout au long de l'épreuve. La plateforme a été construite il y a longtemps, au creux des branches les plus fortes. À l'extrémité des branches sont suspendus des sachets de tabac, des crânes d'ours, de castor, de lynx... Des plumes d'aigle se laissent également bercer par le vent. Ce lieu est très puissant. On ne compte plus les hommes-médecine qui ont vécu leur initiation à cet endroit. L'énergie des anciens est palpable.

Je grimpe à l'échelle en bois qui doit bien mesurer six ou sept mètres, puis je découvre l'espace où je vivrai pendant les vingt et un jours suivants : neuf mètres carrés au milieu des branches. Lorsqu'il vente, mon perchoir bouge lentement. Les peaux de bison sont là, ainsi qu'un seau d'eau, placé dans un coin, pour ma toilette. Durant les premières heures, je devrai redescendre de temps en temps, pour les besoins naturels, mais bientôt ces fonctions physiologiques auront cessé.

Tom, qui m'a suivi jusqu'en haut, s'installe avec moi sur une peau de bison. Je reçois ses dernières instructions avec attention, puis il me laisse seul en ajoutant :

« Surtout, ne pense pas à la durée de ton initiation. Si tu comptes les jours, tu n'y arriveras pas. Un pas à la fois, Kapiteotak. »

Le grand-père me quitte et ma retraite commence véritablement. Nous sommes en septembre. Les journées sont relativement chaudes, mais je me doute bien que les nuits seront fraîches, surtout s'il se met à pleuvoir. Cela s'est produit dès ma première nuit. Même si je pouvais m'abriter sous les peaux de bison, j'ai grelotté toute la nuit et j'ai à peine dormi. Je pensais à mes proches, à toutes ces personnes que j'aimais et que je ne pouvais pas contacter. Je me suis dit que mon épreuve serait interminable. Je ne savais plus si j'y arriverais.

Quand Tom revient le lendemain matin, je suis déjà dans un piètre état. Je suis tellement sous pression que j'en ai mal à la tête. Je joue au brave devant Tom, mais il n'est pas dupe. Il me dit d'approcher pour recevoir des soins.

« Le nettoyage commence, dit-il doucement en me massant le crâne. L'épreuve à laquelle nous soumettons ton corps sert à faire réagir ton esprit. Tu devras tout affronter. »

Il disait juste. Pendant ma première semaine là-haut, j'ai dû affronter le froid, le vent, la pluie, la faim, la soif, mais surtout mes souvenirs. J'ai revécu ma naissance, mon enfance heureuse, puis l'immense déchirure du pensionnat. Je revoyais le dur combat que j'avais dû mener par la suite, pour ne pas sombrer dans la déchéance.

Dès que Tom apparaissait, mon agressivité augmentait d'un cran. Ses vêtements sentaient la nourriture et cela me mettait en rogne. Et il gardait toujours son calme, ce qui m'irritait davantage. Je tentais de cacher mon jeu, mais à la vérité je contemplais à tout moment l'idée d'abandonner l'épreuve. Quand j'ai fini par lui confier mes pensées, il m'a simplement placé devant les faits :

« Soit tu restes, soit tu pars, a-t-il dit fermement. Prends ta décision, puis assume ton choix. »

Tom était normalement si doux que sa fermeté soudaine m'a saisi. Il avait raison, je devais cesser mes tergiversations. Elles me faisaient perdre une énergie énorme. Je lui ai confié ensuite mes visions et mes cauchemars des derniers jours. Le pensionnat me hantait puissamment. Moi qui croyais avoir réussi le grand nettoyage de mes blessures passées, j'étais découragé de constater combien elles avaient encore de l'emprise sur moi. Mon guide m'a rassuré et fait comprendre que j'étais en train de muer une fois de plus. Puis il m'a tendu un sac en tissu noir :

« Au cours des prochaines heures, je veux que tu mettes dans ce sac, une bonne fois pour toutes, ce qui rend ton esprit malade. Tu dois parvenir à te détacher de tes souvenirs. Ils appartiennent au passé. Tu n'es plus ce petit garçon qui a jadis été abusé. Ton esprit doit être libre. Tu vois le soleil se lever sur ta vie tous les matins. Chaque jour, à chaque instant, ta vie est nouvelle. »

La nuit suivante, le miracle s'est produit. J'ai compris que ma cicatrice serait toujours présente et que, parfois, une parole ou un geste pourrait la raviver. La décision m'appartiendrait alors de retomber dans l'apitoiement ou de regarder vers l'avant. « Je ne serai plus une victime, ai-je décidé. Je ne suis plus une victime ! »

Au cours des années précédentes, j'avais eu le temps de me délester de ma tristesse et de ma colère, et cela était sain. Il fallait évacuer le trop-plein. Maintenant, il s'agissait d'accepter une fois pour toutes. Accepter tout. Le froid, la faim, la soif. Accepter que le passé soit terminé et qu'on ne puisse rien y changer. Accepter d'en parler librement, sans honte et sans peur. Accepter le fait que nous possédons tous en nous la force de la médecine, ici, maintenant.

Symboliquement, j'ai enfoui ma maladie dans le sac en tissu, et j'y ai ajouté du tabac et de la sauge.

❖

À partir de ce moment, je me suis abandonné complètement à mon expérience. Mon corps a trouvé son équilibre. Je ne souffrais plus du froid ni de la faim. Le seau d'eau pour ma toilette, dans le coin, ne me disait plus «viens boire». S'il pleuvait, j'ouvrais grand la bouche et je m'abreuvais goulûment. Sinon, je parvenais à me désaltérer par les pores de ma peau.

Tom pouvait dorénavant se concentrer sur les enseignements plus profonds qu'il souhaitait me transmettre. Par souci de protection de certains secrets de notre médecine et par désir de préserver une part d'intimité dans ce que j'ai vécu de sacré là-haut, je ne divulguerai pas tout. Je peux tout de même expliquer que le but primordial de cette initiation consiste à capter la vision de la médecine. Un esprit très puissant se trouvait désormais entre Tom et moi, l'esprit de nos ancêtres. Cette présence ne me quittait jamais.

Parfois, Tom me proposait de m'étendre sur une peau de bison et de fermer les yeux. Il s'asseyait derrière ma tête, puis il me mettait au défi:

«Devine ce que je suis en train de faire.»

Au début, je me sentais un peu maladroit, mais j'ai vite découvert combien mes sens pouvaient être aiguisés. Mon corps n'ayant plus à se dépenser pour travailler, se déplacer ou même digérer, je pouvais consacrer toute mon énergie vitale à ma présence en ce monde par le biais de l'esprit:

«Tu es en train de sortir ta sauge. Je peux très bien en sentir le parfum. Tu viens de placer le foyer de ta pipe à gauche... Tu sors maintenant le tuyau de son fourreau... Tu viens de te gratter la tête... Tu ouvres un sac qui est à droite... Facile: tu viens de craquer une allumette... et tu allumes ta pipe sacrée.»

Parfois, Tom me bandait les yeux pour que j'apprenne à me fier à mes autres facultés, y compris la vision intérieure. Je prenais place au centre de la plateforme, puis je devinais ses gestes.

«Quand tu soignes les gens, disait Tom Eagle, tu dois pouvoir ressentir tous les messages qu'ils t'envoient, au-delà de la parole et des apparences du corps physique. Tu dois mettre tous tes sens à leur service. S'ils viennent vers toi, c'est parce qu'ils n'arrivent pas à comprendre le mal qui les affecte. Par ton écoute accrue, ils vont entrer en eux-mêmes et trouver graduellement le chemin de leurs propres réponses. Tu dois apprendre à entrer dans cet espace où tu te détaches des apparences de la maladie, de la souffrance ou de la mort. La médecine, c'est rester concentré sur le mouvement de l'esprit davantage que sur ses multiples formes. Si tu demeures attaché à tes propres souffrances, comment peux-tu aider les autres à trouver le chemin de la guérison ? L'homme-médecine doit voir la vie en action en toute chose, en tout temps. »

❖

Les journées passaient vite et j'y mordais à pleines dents. En fait, je me sentais si bien que je n'avais plus envie de partir. J'avais perdu beaucoup de poids, bien sûr. Si j'enfonçais un doigt dans mon nombril, je pouvais sentir ma colonne vertébrale derrière. Non, c'est une blague ! Ce qui est vrai, par contre, c'est que j'ai repris tout ce poids depuis, et même plus !

Un bon matin, Tom arrive sur la plateforme en compagnie d'un autre homme-médecine. Mes deux amis me saluent chaleureusement, puis Tom me donne un calendrier sur lequel il avait fait des marques au crayon.

« Compte le nombre de *X* sur le calendrier, Kapiteotak.

— Un, deux, trois, quatre, cinq… dix-neuf, vingt, vingt et un. Vingt et un jours ? J'ai complété mes vingt et un jours ? »

Je n'arrive pas à le croire. Avec un large sourire, les deux grands-pères me font signe que oui et m'ouvrent grands leurs bras. L'émotion est si forte que j'éclate en sanglots. Puis Tom Eagle me tend une tasse d'eau bien fraîche. J'ai l'impression qu'il vient de me remettre la coupe Stanley[41] !

« Ne bois qu'une seule petite gorgée, me dit Tom. Goûte. »

Inutile de vous dire que cette gorgée d'eau fut extraordinairement bonne !

Un autre homme-médecine est venu se joindre à nous sur la plateforme. Ensemble, nous avons souligné la fin de mon épreuve par une longue cérémonie au cours de laquelle j'ai eu l'honneur de recevoir ma septième et dernière pipe sacrée. J'ai reçu aussi des cadeaux : une magnifique peau de bison, de la racine d'ours, du foin d'odeur, de la sauge et une poignée de terre prélevée au pied de mon arbre. Tom Eagle m'a invité à la déposer dans le sac en tissu noir, dans lequel j'avais enfoui

---

41. Le trophée le plus prestigieux de la Ligue nationale de hockey, remis tous les printemps au club champion.

ma maladie. Après avoir refermé le sac pour de bon, nous l'avons purifié avec de la sauge, puis Tom m'a recommandé de l'enterrer un mois plus tard, en un lieu où je ne retournerais plus jamais.

Au moment de redescendre, les trois hommes m'ont enveloppé dans une couverture et m'ont étendu sur un brancard qu'ils avaient hissé jusqu'à la plateforme. Sur ma couche, ils avaient préalablement déposé toutes sortes de plantes médicinales : branches de sapin, cèdre, foin d'odeur... Je me suis étendu dessus, puis Tom a pris place à mes côtés. À l'aide de câbles, ses deux compagnons ont fait descendre mon brancard. Durant la descente, ils ont fait quatre pauses au cours desquelles mon guide m'a donné ses enseignements sur les quatre directions du cercle de la vie.

Une fois sur la terre ferme, les hommes ont attaché le brancard derrière un cheval, puis j'ai dit adieu à l'arbre qui m'avait accompagné silencieusement dans ma grande initiation. Nous avons franchi plusieurs centaines de mètres avant d'aboutir dans une grande habitation servant aux rassemblements spirituels. Une quarantaine de personnes m'y attendaient. Les hommes-médecine ont déposé mon grabat au centre de cette habitation, puis nous sommes restés là, Tom et moi, pendant que les gens s'affairaient tout autour. Encore une fois, il y a eu une cérémonie, suivie de *makocan,* le festin de célébration. Tout le monde se régalait de mille et une bonnes choses, mais j'y portais peu attention, car j'étais complètement absorbé par le délice qu'on venait de placer entre mes mains — une tasse de bouillon d'orignal bien chaud que j'ai savouré religieusement.

Quelques jours plus tard, j'avais repris des forces, mais les célébrations n'étaient pas encore terminées. En compagnie des quelques hommes-médecine avec lesquels je venais de passer les derniers jours, nous sommes partis en auto vers le sud. Nous avons roulé plusieurs heures avant d'atteindre la région de Yellowknife, toujours en territoire ocip8e. Là-bas, quarante-trois grands-mères m'attendaient dans un grand cercle de cérémonie. La profondeur de leur accueil m'a tout de suite donné l'impression de renaître et de revoir ma mère me tendre les bras. C'était extrêmement émouvant.

Les grands-mères m'ont demandé de m'étendre à plat ventre sur le sol. Une à une, elles sont venues m'offrir leurs enseignements. Elles m'ont parlé du respect de la vie, de la terre, de la femme... Chacune traçait une ligne sur mon corps avec de la poudre de pierre ocre mélangée à un peu d'eau. Elles ont commencé par le dos, puis elles m'ont demandé de me retourner pour marquer mon torse et mon visage. À la fin, mon corps était tout rouge. J'étais méconnaissable.

Tout autour de nous, dans ce lieu très privé, se dressaient des tipis, et au centre du cercle brûlait un grand feu sacré. Plusieurs personnes sont venues assister à la cérémonie et ont pris place derrière moi, en silence. Après le rituel des grands-mères, j'attendais sagement la suite.

Tout à coup, la terre s'est mise à trembler. Je cherchais à comprendre d'où provenait cette vibration qui s'accentuait. Au loin, vers l'ouest, je pouvais voir de petits arbres qui poussaient à l'horizon. Maintenant que j'avais eu le sentiment de renaître, c'était au tour de la Terre d'entreprendre une nouvelle vie, me semblait-il. Les arbres poussaient et poussaient encore, puis j'ai compris qu'il s'agissait de dizaines de guerriers venant vers nous à cheval. Chacun tenait un petit arbre de médecine pointé vers le ciel. Toutes les générations étaient présentes car, derrière les adultes, apparaissaient des enfants sur des poneys. Tous les guerriers convergeaient dans ma direction. Les uns après les autres, ils ont déposé sur le sol leurs petits arbres de médecine, comme des rayons de soleil, avec moi au centre.

Des chants ont retenti au son du tambour. À tour de rôle, les convives m'ont touché, m'ont serré la main et m'ont félicité. J'étais accueilli dans le cercle très privé des quarante-neuf aînés de la médecine au Canada. J'avais 58 ans. J'étais le plus jeune du groupe. Le plus vieux avait 112 ans et sa «jeune femme»… 102 ans!

Pendant un an, je suis resté imprégné de cette grande initiation et des cérémonies extraordinaires qui ont suivi. Depuis, la force de la médecine des ancêtres n'a jamais plus quitté mon corps; je la sens toujours là, au creux de mes mains. Je suis conscient du cadeau inestimable que ces personnes m'ont offert, mais je demeure un petit homme face à tout cela. Jamais je n'utilise ce qu'on m'a transmis avec orgueil ou dans le but de dominer les autres. Seules la fierté et la gratitude m'habitent.

L'homme-médecine en moi s'est véritablement épanoui. J'ai appris à puiser au fond de mon être le courage nécessaire pour témoigner des moments les plus pénibles de ma vie, convaincu que le fait de parler peut aider mes semblables à sortir à leur tour du silence. J'ai appris à trouver les mots pour transmettre de mon mieux le message de paix de mes ancêtres, sans craindre les préjugés ou les tabous d'autrefois.

Je suis redevenu nomade et je parcours maintenant le monde à l'invitation des peuples de toutes les nations. L'humanité est parvenue au point où elle sait qu'elle doit mettre fin à la destruction. Les humains sont troublés par les cris d'alarme de la Terre-Maman : tremblements de terre, tsunamis, inondations, tornades, ouragans, glissements de terrain, éruptions volcaniques, réchauffement climatique... Les signaux se multiplient; nous ne pouvons plus jouer à l'autruche et ignorer l'urgence. Est-ce cette urgence qui pousse maintenant le monde à nous donner une voix, à nous, les Anicinapek? Quoi qu'il en soit, lorsqu'on me demande de témoigner en public, je suis surpris de voir les larmes couler et les sourires réapparaître sur les visages dès que je parle de notre mère la Terre, du Grand Esprit, de la vie, du respect, de l'acceptation et de la paix.

Il n'y a pas si longtemps, je m'étonnais encore lorsque les Blancs me cédaient le passage sur la route, à un arrêt obligatoire. Nous avons tellement dû nous soumettre et nier nos origines que j'oublie parfois, pendant quelques secondes, que les temps ont changé. Me voilà aujourd'hui dînant avec des princes et côtoyant les Prix Nobel de la paix. Grand-Père William Commanda a reçu bien plus d'honneurs que moi et cette reconnaissance le fait sourire, lui aussi. « Autrefois, raille-t-il, on nous traitait de Sauvages et on nous poussait à devenir de bons petits Blancs. De nos jours, je rencontre beaucoup de Blancs qui ont honte de leurs origines. Être un Indien est à la mode. Il y a même des Blancs qui prennent plaisir à se vêtir comme nous! »

*Comis* et moi sommes touchés de constater que le monde tend désormais l'oreille vers les gens de notre peuple. Plusieurs sages se sont endormis, mais les nouvelles générations s'éveillent. Les femmes aussi reprennent leur place. Pendant des siècles, elles ont été bafouées et écrasées. Il faut écouter les appels au secours de la Terre-Mère, mais il faut aussi écouter la femme qui est restée proche de la médecine.

Les enseignements des quatre directions nous incitent à ralentir la cadence en prenant exemple sur la Tortue. L'esprit de la Tortue — direction Est —, c'est l'esprit du Féminin, car la Tortue n'a pas peur d'entrer en elle-même pour accueillir ce qui émerge de l'intérieur.

Dans la direction Sud, l'Aigle nous enseigne à nous élever au-dessus de la mêlée. L'Aigle vole toujours en décrivant des cercles dans le ciel. Il nous montre comment former notre propre cercle de guérison et à y pénétrer pour être plus présents à nous-mêmes.

Le Cercle de médecine
et ses correspondances symboliques, selon les Algonquins

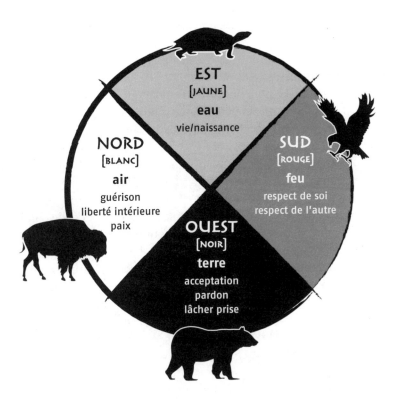

L'Ours nous apprend pour sa part à rester fort dans l'épreuve. Dans la direction Ouest, *mak8a* nous incite à construire notre propre vie, sans craindre les qu'en-dira-t-on et sans agir comme une victime.

Enfin — direction Nord —, le Bison nous aide à voir que, après avoir accepté et pardonné (en commençant par se pardonner à soi-même !), l'âme peut guérir. Une fois notre esprit libéré de ses entraves, il accède à la tranquillité et à la paix véritable.

L'humain doit retrouver son lien profond avec la nature. Plus les technologies sont à notre portée, plus la nature s'éloigne de nous. Cela vaut pour l'humanité entière, avec ses armes de destruction massive, ses centrales énergétiques polluantes, son mercantilisme et ses médias qui désinforment plus qu'ils ne nous informent; mais cela vaut aussi pour chaque individu qui n'arrive plus à ralentir le pas, à se déconnecter des appareils électroniques ou à entretenir des relations saines et inspirantes avec autrui.

Ohiyesa (1848-1929), l'un des plus éloquents représentants de la nation Lakota à la fin du XIXᵉ siècle (aussi connu sous le nom anglicisé de Charles Alexander Eastman), a consacré sa vie à établir des ponts entre l'Indien d'Amérique et l'homme blanc. À la fin de ses jours, il en était venu à la conclusion que le fondement essentiel de la civilisation moderne était le commerce et l'échange. Il a écrit:

> Chacun érige des bornes qui sont ses forces, produit de son travail comme niveau de vie social, politique et religieux afin de le faire valoir contre son voisin [*sic*]. Pour gagner quoi, je vous le demande? Pour gagner le contrôle de ses compagnons et le produit de son travail. N'y a-t-il donc rien qui mérite d'être perpétué dans cette approche que nous autres Indiens avons de la démocratie, où la Terre, notre mère, était donnée librement à tous et où personne ne cherchait à appauvrir ou à asservir son prochain?
>
> [...]
>
> Certes, ce que nous avons apporté à notre nation et au monde ne peut se mesurer en termes matériels. Car notre plus grande contribution a été de nature spirituelle et philosophique. En silence, par la seule force de l'exemple et d'une patience muette, nous avons adhéré fermement à l'enseignement de nos ancêtres, faisant de la fidélité de l'individu un devoir et du dévouement consacré, une responsabilité[42].

Combien de fois ai-je entendu l'homme blanc me demander: «Comment faire pour être en paix avec mes ancêtres, autant que l'Anicinape semble l'être?» Que l'on soit issu des peuples jaunes, rouges, noirs ou blancs, il est vrai que certains de nos ancêtres ont pu provoquer de grandes souffrances par leurs gestes ou leurs paroles.

---

42. Charles A. Eastman, *L'âme de l'Indien, op. cit.*

Chez nous, cela s'appelle les « enseignements de la vie ». Ces gens étaient tout simplement là pour nous montrer le chemin à ne pas suivre.

Cela dit, je m'étonne de voir les manuels d'histoire qu'on continue de distribuer aux enfants du monde entier. Tant que nous insisterons sur les guerres et les conquêtes du passé, nous aurons du mal à nous lier avec amour à ceux qui nous ont précédés. Comment l'enfant peut-il se sentir soutenu par ses ancêtres, si son histoire est fondée essentiellement sur la souffrance ? Il serait peut-être bon de corriger cette erreur. Si l'humanité est encore vivante sur cette terre, c'est bien parce que la force d'amour a toujours su triompher. Autrement, nous ne serions plus ici. Cela m'apparaît évident. Pourquoi ne pas axer notre enseignement sur la grandeur intérieure de l'humain, plutôt que sur ses prétendus triomphes extérieurs ?

Il est également temps que nous cessions de nous plaindre du fait que la planète, les animaux et les plantes sont en danger, en nous excluant nous-mêmes du cercle. Si l'humain souffre, le reste de la Création souffre. Nous sommes tous liés. L'humain est un maillon de la chaîne. La guérison de la Terre et de ses habitants sera impossible tant que nous nous placerons en dehors du cercle. Nous devons passer par notre propre guérison intérieure pour pouvoir soigner les autres et la planète. L'un ne va pas sans l'autre.

Le chemin de la connaissance de soi ou de notre propre spiritualité nécessite du temps et des efforts, mais les récompenses sont réelles. Tous ceux qui ont choisi cette voie ne veulent plus revenir en arrière. Être vrai, intègre et cohérent envers ses valeurs et exprimer ses talents et ses dons en toute simplicité est beaucoup trop satisfaisant pour qu'on regrette un jour d'avoir choisi cette vie. N'ayons pas peur de nous consacrer patiemment à cette quête. Peu importe notre croyance, ce qui compte, c'est d'apprendre à être en communion avec notre esprit et avec le Grand Esprit pour nous libérer de nos maux et danser librement sur ce sentier qui n'a pas été brûlé par le monde moderne. L'herbe y pousse encore.

Notre génération n'allumera peut-être pas le Huitième Feu. Ce sera peut-être la tâche de nos enfants. Aurons-nous suffisamment d'humilité et de courage pour nous libérer de nos maux et de ce que nous avons à guérir collectivement, sans nécessairement voir de nos propres yeux le résultat de nos efforts ? Serons-nous capables d'agir pour les générations futures ? Quand je voyage en Europe, je suis ébahi par les très anciennes cathédrales qui se dressent dans les grandes villes. La plupart des hommes qui les ont construites n'ont jamais vu l'aboutissement de leur dur labeur, car il fallait souvent plus de cent ans pour achever ces églises. Serions-nous capables du même détachement? Serions-nous capables de jeter les bases d'un monde meilleur pour nos enfants? d'accepter de n'être que de simples maillons de la chaîne?

❖

Qu'est ce Huitième Feu? Je vous invite à relire attentivement chacun des Feux de la prophétie. Vous constaterez que celle-ci ne parle pas seulement des peuples amérindiens, mais en quelque sorte de tous les humains, peu importe leurs origines. La prophétie évoque en effet les étapes de la croissance de chaque individu et de chaque collectivité. Nous devons tous, un jour ou l'autre, quitter le sentiment de fusion et d'harmonie avec la Mère pour nous frotter au monde tel qu'il est. Chacun est appelé à traverser ses épreuves personnelles afin de triompher dans la lumière de la paix, en suivant son chemin unique et sacré. Au point de rencontre entre notre condition terrestre et notre réalité céleste, nous devons tous apprendre à développer notre conscience spirituelle. Lorsque nous découvrons que la vie se renouvelle sans cesse, que nous nous dépouillons totalement de notre passé ou de nos peurs, nous devenons parfaitement libres. Les portes de l'Infini s'ouvrent alors devant nous.

La mort n'existe pas. Les grands sages de toutes les spiritualités du monde n'ont jamais cessé de l'affirmer. La vie est une éternelle naissance. Vous n'avez qu'à observer attentivement la nature : la disparition de la fleur sur le cerisier permet l'arrivée du fruit; l'ours, qui se régale du poisson venant de frayer, quittera lui-même son corps après avoir fait naître ses oursons et sa dépouille nourrira la terre; dans une toute petite graine est contenu le futur chêne.

Pourquoi nos ancêtres anicinapek n'ont-ils jamais construit de temples ou de statues? Parce qu'ils ont toujours préféré admirer le spectacle de la vie en constante transformation. Comment serait-il possible d'illustrer cette danse intime et gigantesque à la fois? La danse sacrée de l'univers n'appartient qu'au regard de l'esprit. Figer un élément de cette grandiose renaissance (en fabriquant des saints, des monuments ou même en photographiant le sacré) reviendrait à illustrer la mort.

En réalité, la mort n'existe qu'en un seul lieu, soit dans les conceptions erronées du cerveau humain. C'est l'humain qui ne sait plus percevoir la vie avec le regard de l'esprit et qui s'est mis à vouloir contrôler frénétiquement les choses, de peur de disparaître. N'ayez pas peur de disparaître. Du coup, vous serez parfaitement vivant... et vous ne disparaîtrez plus jamais !

Le 8 couché (∞) est le symbole de l'infini. Le Huitième Feu nous invite à trouver l'infini. Étrangement, ceux qui ont doté les Algonquins d'un langage écrit ont inclus le chiffre 8 dans notre alphabet. Joli clin d'œil, n'est-ce pas ?

Redevenons libres et touchons à l'infini. C'est cela, être Anicinape. Tout le monde peut redevenir vrai et peut vivre en harmonie avec la nature. Soyons librement sauvages comme les animaux, sans peur du lendemain, sans le poids de notre passé, sans craindre de vivre et de disparaître. Qui plus est, soyons fiers d'être des humains. Nous avons reçu un cadeau inestimable que n'ont pas reçu les animaux: la Conscience. À nous de la célébrer !

Voilà ce que mes ancêtres m'ont enseigné. Et voilà pourquoi je suis bien heureux, dorénavant, quand quelqu'un m'appelle le « Sauvage ». Appelez-moi Sauvage et je vous dirai *mik8etc* ! Car vous viendrez de me faire un bien beau compliment.

# Remerciements

Un grand *mik8etc* à tous ceux qui nous ont aidés dans l'élaboration de cet ouvrage :

- *Mik8etc* à mes parents, Emma et T8amy, qui m'ont tout donné.
- *Mik8etc* à *Comis* William Commanda pour le privilège d'avoir pu le côtoyer de près et d'avoir reçu ses précieux enseignements pendant si longtemps.
- *Mik8etc* à Edward Benton-Banai pour l'utilisation de son texte sur la prophétie des Sept Feux. M. Benton-Banai est un aîné de la nation ocip8e et grand chef de la Loge Mite8i8in des Trois Feux, dans le Wisconsin. On peut lire la prophétie, telle qu'il l'a reçue dans ses visions, dans son livre *The Mishomis Book*[43].
- Le secrétariat aux Affaires autochtones à Québec, en particulier le sous-ministre M. André Maltais pour son aide précieuse dans la réalisation de ce projet.
- Les aînés Anne, Albert et Fred Mowatt de Pikogan, qui ont été témoins de ma naissance et m'ont raconté en détail les événements entourant l'accident d'avion. C'est toujours un bonheur pour moi de vous rendre visite !
- Mes sœurs Cécile, Hélène, Jane et Marie, ainsi que mon frère Léo, pour leurs souvenirs de notre enfance, là où les miens n'étaient plus très clairs.

---

43. *The Mishomis Book. The Voice of the Ojibway*, St. Paul, Red School House publishers, 1988.

- *Mik8etc* à l'équipe des Éditions Le Jour. À Linda Nantel, qui a cru en notre projet dès ses premières heures. À notre éditeur, Erwan Leseul, pour son accueil enthousiaste. À l'équipe des graphistes et des relationnistes (un *mik8etc* spécial aux deux Roxane!) pour leur créativité et leur cœur dévoué.
- *Mik8etc*, à titre posthume, à notre amie Nancy Lessard qui, en compagnie de son assistant Maxime Boisvert, a réalisé le magnifique portrait figurant en page couverture de ce livre. Il s'agit de l'une de ses dernières photos avant que le cancer l'emporte. *Mik8etc* à Sylvie-Ann, la fille de Nancy, qui, à la suite d'une belle série de coïncidences, fut appelée à prendre les photos figurant au dos du livre. Ce clin d'œil du Créateur nous montre bien que la vie est une éternelle continuité!
- Enfin, *mik8etc* à *Kokom* Marie-Josée qui, grâce à sa grande écoute et à ses talents d'écrivaine, a su trouver les mots pour exprimer dans votre langue ce que mon cœur souhaitait vous confier.

# Crédits des photos et illustrations

1. Auteurs
2. H) Auteurs
   B) MP-1976.24.49 | Photographie | Intérieur du magasin de Revillon Frères, Fort George, QC © Musée McCord.
3. Auteur inconnu, Archives Deschâtelets, Abitibi, Indiens.
4. Auteur inconnu, Archives Deschâtelets, Abitibi, Indiens.
6. H) Auteur inconnu, Archives Deschâtelets, Manawan, Indiens.
   B) Jean-Claude Audet, Photo Montréal, Archives du Séminaire Saint-Joseph de Trois-Rivières, 0061-028-06
7. H) BAnQ-Québec - E6,S9,P86 / Fonds Ministère de la Culture, des Communications et de la Condition féminine - Série Paul Provencher / Cabanage rond montagnais / Paul Provencher, vers 1942
8. H) Auteur inconnu, Archives Deschâtelets, Abitibi, Brennan Lake.
   B) Auteurs
9. H) Auteurs
   B) Louis Roger Lafleur, 1942, Archives Deschâtelets, Manawan, Indiens
10. H) Auteurs
    B) Auteurs
11. H) Auteurs
    B) Auteur inconnu, vers 1960, Archives Deschâtelets, Abitibi, Amos.
12. H) Auteur inconnu, vers 1960, Archives Deschâtelets, Abitibi, Amos.
    B) Auteurs
13. Auteurs
14. H) Auteurs
    B) Auteurs
15. B) Denis Labine, Ville de Montréal
    H) UN Representative for The World Peace Prayer Society
16. Élise Jacob, Fondation Dalaï Lama Canada

## Illustrations

Pages 55, 101 et 117 : Olivier Carpentier
Page 19 : François Daxhelet

# Table des matières

# Pour en savoir plus

T8aminik Rankin et Marie-Josée Tardif se consacrent désormais à l'enseignement et au ressourcement, que ce soit dans le cadre de cérémonies publiques, de conférences, de programmes d'intervention ou de stages de guérison de l'âme. Ces activités sont parfois consacrées aux Autochtones, parfois aux non-Autochtones, et parfois aux peuples de toutes les nations.

Pour en savoir plus sur eux et leurs activités, vous pouvez consulter leurs sites Web :

www.dominiquerankin.ca
www.mariejoseetardif.com

## Suivez-nous sur le Web

Consultez nos sites Internet et inscrivez-vous à l'infolettre pour rester informé en tout temps de nos publications et de nos concours en ligne. Et croisez aussi vos auteurs préférés et notre équipe sur nos blogues !

EDITIONS-JOUR.COM
EDITIONS-HOMME.COM
EDITIONS-PETITHOMME.COM
EDITIONS-LAGRIFFE.COM

Achevé d'imprimer au Canada
sur papier Enviro 100 % recyclé